Bushido:
O Caminho do Guerreiro
(Budo Shoshinshu)

Coordenação editorial
CRIATIVO EDITORA

Revisão
JULIA GARCIA

Projeto gráfico e capa
LUMIAR DESIGN

Coordenação de produção
EQUIPE EDITORIAL HUNTERBOOKS EDITORA

Impressão e Acabamento
OCEANO INDÚSTRIA GRÁFICA E EDITORA LTDA

Daidoji Yuzan

Bushido:
O Caminho do Guerreiro

Sobre o Bushido
O caminho do Samurai

Tradução
Dimas da Cruz Oliveira

HUNTER
BOOKS EDITORA

Título original:
BUDO SHOSHINSHU:
THE WARRIOR'S PRIMER

1ª edição – Novembro de 2014

Grafia atualizada segundo o Acordo Ortográfico da Língua Portuguesa de 1990, que entrou em vigor no Brasil em 2009.

Publisher: **Claudio Varela**
Publisher: **Ednaldo Varela (Ado)**

Dados Internacionais de Catalogação na Publicação (CIP)
(Elaboração: Aglaé de Lima Fierli, CRB-9/412)

D131c Daidoji, Yuzan, 1639-1730.
Bushido: O caminho do guerreiro / Daidoji, Yuzan; tradução de Dimas da Cruz Oliveira com base na edição inglesa de A.L. Sadler - São Paulo: Hunter Books, 2014.
160p.: 13x21 cm.

ISBN: 978-85-65042-43-7

1. Bushido. 2. Samurais - Conduta I. Título. II. Oliveira, Dimas da Cruz, trad.

CDD 170.44

ÍNDICE PARA CATÁLOGO SISTEMÁTICO
Bushido : Ética 170.44
Samurais : Conduta 170.2

IMPRESSO NO BRASIL
PRINTED IN BRAZIL

Direitos cedidos de edição à Hunter Books Ltda.
www.hunterbooks.com.br
www.editorahb.com.br
editorial@editorahb.com.br

SUMÁRIO

APRESENTAÇÃO

As 7 Virtudes do Bushido

GI (em japonês:義) - Justiça e moralidade, atitude direta, razão correta, decidir sem hesitar;

YUU (em japonês:勇) - Coragem, bravura heroica.

JIN (em japonês: 仁) - Compaixão, benevolência.

REI (em japonês: 礼) - Polidez e cortesia, amabilidade.

MAKOTO (em japonês: 誠) - Sinceridade, veracidade total.

MEIYO (em japonês: 誉) - Honra, glória;

CHUU (em japonês: 忠) - Dever e lealdade.

Bushido (武士道), literalmente, "Caminho do guerreiro", é um código de conduta e modo de vida para os samurais (a classe guerreira do Japão feudal ou *bushi*), vagamente semelhante ao conceito de cavalheirismo que define os parâmetros para os samurais viverem e morrerem com honra. É originário do código moral dos samurai e salienta a frugalidade, fidelidade, artes marciais, servidão, honra e até a morte. Nascido das duas principais influências, a existência violenta do guereiro é atenuada pela sabedoria e pela serenidade do Confucionismo e do Budismo. O *Bushido* foi desenvolvido entre os séculos 9 e 12 e inúmeros documentos traduzidos a partir dos séculos 12 e 16 demonstraram a sua grande influência em todo o Japão, embora alguns estudiosos tenham mencionado que o "termo *Bushido* em si é raramente mencionado na literatura pré-moderna". Durante o período da ditadura militar feudal, o shogunato Tokugawa estabelecida no Japão em 1603 por Tokugawa Ieyasu, os aspectos do *Bushido* ficaram formalizados no Direito feudal japonês.

Embora *Budo Shoshinshu* tenha sido traduzido como "*O Código do Samurai*", a tradução literal seria "*Coleção para iniciantes no caminho do guerreiro*". Escrito por Daidoji Yuzan (1639-1730) em idade avançada, este livro é uma crítica e um guia que corresponde às mudanças sociais que redefiniu a classe guerreira durante o shogunato Tokugawa. O livro contém uma coleção de ensaios e foi amplamente lido por samurais da era Tokugawa. O objetivo deste texto foi o de resolver as ambiguidades que existiam na mente do samurai a respeito de seu papel social em um período de paz sem precedentes.

BUDO SHOSHINSHU E O CONFUCIONISMO

As fortes influências confucionistas presentes nos escritos de Yuzan podem ter contribuído para o ressurgimento da retórica confucionista na período Tokugawa, que foi exposta pelo shogunato e outros filósofos contemporâneos. Yuzan lida com temas como o papel da morte para o guerreiro, etiqueta moral adequada, e a importância do equilíbrio entre as habilidades militar e literárias. O foco de Yuzan sobre a necessidade dos guerreiros estarem sempre preparados para a morte é muitas vezes comparada aos escritos de seu contemporâneo Yamamoto Tsunetomo, autor de *Hagakure*, que também discutiu o assunto em grande detalhe.

Boa leitura.

DAIDOJI YUZAN

*"Seguir o Bushido é dar ênfase à lealdade,
fidelidade, autossacrifício, justiça, modos refinados,
humildade, espírito marcial, honra e, acima de tudo,
viver e morrer com dignidade".*

Daidoji Yuzan (大道寺友山, 1639 - 1730), samurai, estrategista militar e respeitado autor do período Edo no Japão, por vezes é referido como *Taira Shigesuke*. Descendente do famoso clã Taira, nasceu em Fushimi na província de Yamashiro (atual Fushimi-ku, Kyoto). Uma das obras que ele escreveu em seus últimos anos e teve grande circulação foi o *Budo Shoshinshu* (武道初心集), uma obra que introduz o leitor ao *Bushido*. O livro foi muito influente entre os samurais das classes baixa e média na época e posteriormente.

Filho de Daidoji Shigehisa e bisneto de Masashige, assessor importante do clã Hojo, Shigehisa serviu como samurai de Matsudaira Tadateru, *daimyo* do feudo Echigo Takada, mas tornou-se um ronin em 1619 quando Tadateru foi destituído.

Yuzan estudou as *Artes da Guerra* em Edo sob os olhares de Obata Kagemori, Hojo Ojinaga, Yamaga Soko (de quem era discípulo) e outros. Ele, então, fez uma palestra sobre o assunto como convidado do clã Asano no feudo Hiroshima, depois pelo clã Matsudaira no feudo de Aizu, o clã Matsudaira no feudo Fukui, e em outros lugares no Japão.

Com o período de paz ocasionado pelo shogunato Tokugawa, Yuzan viu a classe comerciante crescer em riqueza e luxo. Enquanto isso, na classe guerreira milhares de samurais se tornaram ronins do dia para noite e começaram a vagar pelas estradas do país porque os *daimyos* não podiam mais sustentar tantos vassalos. Esse período conturbado inspirou Yuzan a seguir os passos de seu instrutor, Yamaga Soko, questionando a natureza paradoxal do papel do guerreiro durante o tempo de paz.

LIVRO I

A vida do homem é breve e efêmera,
como o orvalho da noite ou
a geada matinal.

VIVER PREPARADO PARA A MORTE

O samurai considera como seu propósito mais importante pensar sempre na morte, dia e noite, desde quando ele pega seus *háshis*[1] ao fazer sua refeição matinal no Dia de Ano Novo, até o anoitecer do último dia do ano. Quando alguém pensa constantemente que a morte é inevitável e pode acontecer muito em breve, a lealdade e a piedade filial são realizadas, muitos males e desastres são evitados, a pessoa não fica ociosa e à toa, e vive uma longa vida. Além disso, até o seu caráter é melhorado. Estes são os muitos benefícios dessa forma de pensar.

Considerando isso, nós vemos que a vida do homem é breve e efêmera, como o orvalho da noite ou a geada matinal. E aqui existe algo particularmente perigoso: quando um homem que percorre a trilha do guerreiro pensa que terá muitos anos de vida para servir ao seu senhor e acompanhar seus pais, ele se torna indolente. Se alguma coisa acontece, ele se mostra fraco no cumprimento do dever e falho na sua dedicação filial. Quando se conclui que um homem pode estar vivo hoje, mas não amanhã, ele estará consciente de que hoje pode ser sua

---

1. Háshi – Utensílio da culinária usado para manusear os alimentos durante o preparo e as refeições. Pode ser feito bambu, outras madeiras, metal e plástico. É utilizado por muitos países asiáticos como Japão, China, as Coréias, Tailândia, Vietnã e outros.

última chance para servir seu senhor e acompanhar seus pais. Assim, seja recebendo ordens de seu senhor, seja cuidando de seus pais, ele o faz com o pensamento de que isso pode estar acontecendo pela última vez, então seu interesse por eles será sincero e decidido. Portanto, nesse caso, diz-se que ele está manifestando plenamente sua lealdade e piedade filial.

Além disso, um pensamento que negligencia e se esquece da morte carece de prudência. Surgirão discussões sobre a sua insensibilidade e aparecerão controvérsias acerca de assuntos que seriam mais bem resolvidos se ignorados.

Enquanto alguém faz passeios em meio à multidão, trombando com loucos e entrando em brigas desnecessárias, esse perderá sua vida, desonrando o nome do seu senhor e perturbando sua família. Todas essas calamidades ocorrem por causa da negligência em manter a morte constantemente em vista. Quando alguém tem a morte sempre em vista, sendo um samurai, compreende a importância da diferenciação de palavras, tanto ao dirigir-se a outras pessoas quanto ao responder o que outras pessoas lhe perguntaram. Em razão disso, não fará uso de argumentos insensatos; e naturalmente não irá a lugar algum sem necessidade, mesmo quando convidado. Assim, ele não se envolverá em nenhuma situação vexatória. Por isso se diz que alguém pode evitar numerosos males e calamidades.

Não importa se um homem é de classe alta ou baixa: se ele se esquecer da morte, irá comer e beber em exagero; ele irá envolver-se na luxúria e todo tipo de atividade insalubre; ele trará males para seu organismo, além de atrair a morte prematura. E, mesmo que viva, ele irá enfim tornar-se um inválido. Quando um homem mantém a morte constantemente no seu pensamento, mesmo sendo jovem e saudável, se for consciente de que deve preservar a sua saúde, comer e beber com moderação, e empenhar-se a fim de manter à distância o prazer sexual, seu corpo permanecerá saudável. Exatamente por esse motivo se diz que ele viverá uma longa vida, sem doenças ou acidentes.

Além disso, quando um homem sente a morte como algo distante, que a sua estada neste mundo será longa, fica obcecado por diferentes ambições e profunda avareza. Cobiçando as coisas alheias e tendo demasiado apego às suas, ele irá desenvolver as disposições de um mercador ou fazendeiro. Quando a morte é sempre mantida no pensamento e este mundo é visto em sua insignificância, a cobiça irá diminuir naturalmente no coração da pessoa, e os imundos sentimentos de avareza e egoísmo não irão intrometer-se tanto assim. Por isso se diz que até o caráter da pessoa irá melhorar.

Temos que manter a morte sempre à vista. Entretanto, havia um monge, Shinkai, mencionado no *Tsurezuregusa* de Yoshida Kenko, que constantemente se curvava e aguardava, pensando 24 horas por dia na sua hora final. Pois bem: embora seja sinal de austeridade no espírito de um monge pensar na morte, isso não está de acordo com a condição básica de um samurai. Aproximar-se da morte assim não seria bom, porque não se pode abandonar o caminho da lealdade para com o seu senhor e da piedade filial para com os pais, e se descuidar de suas obrigações como samurai. Dia e noite sem falhar, na medida em que alguém está envolvido com negócios públicos ou privados, logo que houver um momento de calma para o coração a pessoa deverá manter a morte em vista. Isto é o que importa. A tradição diz que Kusunoki Masashige instruiu seu filho, Masatsura, com as palavras: "Pense constantemente na morte".

ESTEJA SEMPRE PREPARADO PARA A BATALHA

O homem que vai tornar-se um samurai considera essencial manter no pensamento o espírito da batalha 24 horas por dia. O nosso país é diferente dos outros porque, aqui, até o mais humilde comerciante, agricultor ou artesão é atento o suficiente para carregar consigo uma velha espada enferrujada. Este é o costume guerreiro do povo japonês, e é o Caminho dos Deuses, imutável durante dez mil gerações.

Como quer que seja, as três classes do povo (o agricultor, o artesão e o mercador) não têm uma vocação marcial. Para os membros da classe guerreira, até mesmo o mais insignificante criado e serviçal, há uma maneira estabelecida de jamais se separar da sua espada. Isso sem falar que, para alguém acima da categoria de samurai, a espada de um guerreiro jamais deve afastar-se do seu lado, mesmo que seja por um só instante. Assim, um verdadeiro guerreiro estará sempre preparado, mesmo que seja mantendo uma espada sem fio ou de madeira consigo durante o banho. Isto é devido à sua intenção de manter o espírito de batalha dentro de si mesmo. Um guerreiro mantém esse espírito dentro de seu próprio lar; e muito mais quando ele deixa seu ambiente próprio e se dirige a outros lugares. Então, ele irá manter em seu pensamento a possibilidade de encontrar inesperadamente homens ensandecidos, beberrões e outros tipos de loucos ao longo do caminho ou até mesmo no seu local de destino. Diz respeito a isso o provérbio dos antigos: "Ao deixar seu portão ele já enxerga o inimigo".

Visto que um homem na posição de samurai prende a espada ao seu flanco, ele jamais irá se esquecer do espírito da batalha. E, quando alguém não se esquece do espírito da batalha, o pensamento da morte estará de fato presente para ele. Mas um samurai que traz a espada junto ao seu flanco, e todavia não traz o espírito da batalha sempre presente no seu pensamento, não é diferente, em absoluto de um mercador ou agricultor que usa uma pele de guerreiro.

O CONHECIMENTO É IMPORTANTE PARA O SAMURAI EM TEMPOS DE PAZ

Um homem que vai ser um guerreiro está acima das outras três classes e realizará funções da administração, convém que ele seja encaminhado no Conhecimento e seja capaz de distinguir amplamente a natureza das coisas.

Sendo as coisas assim, os guerreiros que nasceram em tempos de agitação invariavelmente serviram com plena capacidade em sua primeira campanha, com a idade de 15 ou 16 anos. Assim, quando eles tinham 12 ou 13 anos de idade, era adequado que fossem treinados no cavalgar, no uso do arco, do rifle, e em todas as outras artes marciais. Raramente eles tinham tempo para abrir um livro de ajuda ou qualquer material de leitura ou para assentar-se numa escrivaninha com um pincel de escrita. Assim, naturalmente eles eram ignorantes, iletrados, incapazes de escrever um caractere chinês sequer. Embora existissem muitos guerreiros assim durante o Período dos Estados em Luta, isso não acontecia necessariamente porque não tinham a intenção de estudar ou por terem sido insuficientemente educados por seus pais. Eram ignorantes porque eles trabalhavam exclusivamente no Caminho do Guerreiro e eram empregados nessa atividade naquele tempo. Hoje, embora os guerreiros tenham nascido numa época de paz, não se pode dizer que eles tratam com leviandade o Caminho do Guerreiro. Entretanto, tampouco esta é uma geração como a dos tempos de agitação, quando os guerreiros fatalmente serviam em sua primeira campanha quando eles tinham a idade de 15 ou 16 anos. Assim, quando um menino ultrapassa os dez anos, ele deverá ser orientado a ler obras tais como os Quatro Livros, os Cinco Clássicos, e os Sete Livros e a exercitar caligrafia e escrita. Além disso, por volta dos 15 anos, quando o seu vigor físico aumenta e a sua saúde se afirma, ele deverá aprender a usar o arco e a cavalgar e adquirir habilidade em todas as artes marciais. Essas deverão ser as intenções básicas na educação do filho de um guerreiro em tempos de paz. Há, até certo ponto, uma desculpa para a ignorância anteriormente falada dos guerreiros em tempos de agitação; mas não se pode justificar a ignorância de um guerreiro em tempos de paz. Nem pode a responsabilidade recair sobre a pouca idade e fraqueza das crianças. Trata-se simplesmente de negligência e falta de cuidado dos pais; trata-se, enfim, de ignorância do verdadeiro amor paternal.

SER DEDICADO, MESMO PARA COM PAIS NEGLIGENTES

O homem que pretende ser um samurai considera isto de máxima importância: desempenhar carinhosamente seus deveres de filho para com seus pais. Mesmo se um homem for esperto e inteligente, superar outros, for um orador eloquente e tiver nascido com bela aparência, será um homem inútil se não tiver piedade filial. Considera-se no *Bushido* que é essencial conhecer a diferença entre a raiz e o ramo e agir de acordo com isso. Um homem que tem dificuldade em distinguir a raiz do ramo provavelmente não irá compreender seu dever; e é difícil chamar de "samurai" um homem que não compreende seu dever. Conhecendo a diferença entre a raiz e o ramo, um homem irá considerar seus pais como a raiz do seu corpo, e seu corpo como o ramo da carne e do sangue deles. Todavia, quando um homem tem o desejo sincero de elevar-se neste mundo, e porventura trata seus pais com desprezo, isto acontece porque ele não tem o discernimento da raiz e do ramo.

Existem, além disso, dois níveis no desempenho do dever filial para com os pais. Por exemplo, não há nada de impressionante no fato de um filho cumprir seu dever filial para com pais que lhe são completamente dedicados. Pais dessa têmpera são gentis e, amando sinceramente seu filho, consideram sua educação com ternura. O dinheiro deles, ganhado a custo, é gasto com suas armas, com material para cavalgar e conforto doméstico, a fim de ter certeza de que nada falta. Os pais também encontram uma boa esposa para ele e, quando finalmente falecem, deixam para ele toda a sua herança. A coisa funciona assim: se nos tornamos amigos íntimos e surge um interesse mútuo até mesmo em relação a um estranho, e se esse estranho faz esforços em nosso favor, então vamos nos interessar por ele, mesmo que ninguém nos observe, vamos considerar com interesse tudo o que esse estranho faz, vamos colocar em segundo plano nossos próprios problemas a fim de considerar primeiro os interesses daquele estranho. O que não faremos então, quando nossos pais agem com amor e benevolência, não "deixando uma só pedra sem remover" em nosso benefício? Não importa, nesse caso, até que ponto um filho esgotou seu vigor no desempenho dos seus deveres filiais; não se pode dizer que "foi suficiente". Isso ainda é piedade filial comum; não há nada digno de elogio nisso.

Existem pais, entretanto, que não possuem um coração terno e que, ao envelhecer, apenas fazem queixas triviais, não deixam nada como herança; ao contrário, conduzem seu já duramente apertado filho a perigosas circunstâncias, e não percebem que simplesmente educar um filho deveria lhes proporcionar satisfação. Eles só sabem queixar-se de seu alimento e vestimenta cotidiana e, além disso tudo, eles não se importam em ridicularizar seu filho em público, dizendo a outras pessoas, quando as encontram, que eles passam por terríveis esforços e dificuldades, porque o filho deles não tem piedade filial e não se importa se eles estão ficando velhos. Respeitar pais como esses, fazer frente a eventuais dificuldades e lamentar sinceramente a decrepitude deles, jamais os ignorando, e sempre cumprindo os deveres filiais com sinceridade, nisso consiste a verdadeira atuação de um filho consciente dos seus deveres.

Um guerreiro com essa disposição terá um bom entendimento do *Caminho da lealdade e do dever* quando servindo a um senhor. Ele vai agir com verdadeira lealdade, não somente quando o poder de seu senhor floresce, mas até quando seu mestre se encontrou com algo inesperado e perturbador. Um guerreiro assim não sairá do lado de seu *daimyo* mesmo se os aliados deles tiverem diminuído de 100 cavaleiros para dez, ou de dez para somente um. Não importam quantas flechas o inimigo dispare, o guerreiro irá enfrentá-lo sem pensar na própria vida, desempenhando seus deveres com lealdade marcial. Embora as palavras pai e senhor e piedade filial e lealdade sejam diferentes, para um espírito sincero elas significam a mesma coisa. Assim, já diziam os antigos em suas próprias palavras: "procure um mantenedor fiel na casa de um filho piedoso"; portanto, é insensato dizer que um homem pode ser impiedoso para com seus pais e, entretanto, fiel e correto para com seu *daimyo*.

Um homem cujo espírito é tão imaturo que não é piedoso para com sua própria fonte geradora certamente não sentirá o que é dever e obrigação, nem agirá com plena lealdade em relação a um senhor com quem falta um laço formado pela natureza.

Embora um homem que tenha sido impiedoso para com seus pais em casa possa sair e servir a um senhor, ele sempre manterá um olho sobre as circunstâncias que envolvem seu *daimyo*, e, se vir que elas se tornam de algum modo desfavoráveis, rapidamente mudará seu propósito, abandonando seu senhor no meio da batalha e abrindo caminho para si sob a chuva das flechas. O fato de que um homem assim será injusto ao ponto de conspirar com o inimigo ou desertar para ele já foi constatado tanto no passado quanto no presente. Isso é motivo para um sentimento de vergonha e reserva.

UM SENTIMENTO DE VERGONHA SUSTENTARÁ A JUSTIÇA

O *Bushido* será estabelecido quando um homem que for um guerreiro mantiver em seu espírito um entendimento sério da justiça e da injustiça, a resolução de esforçar-se absolutamente pela primeira o cuidado para não agir de acordo com a segunda. Justiça e injustiça são definidos como o bem e o mal, a justiça não sendo outra coisa senão o bem e a injustiça não sendo outra coisa senão o mal. Embora os homens geralmente não sejam capazes de distinguir o bem do mal e a justiça da injustiça, consideram a realização da justiça e o progresso do bem como limitadores e perturbadores, e a realização da injustiça e do mal como interessante e fácil. Assim, entregam-se apenas à injustiça e ao mal e acham a realização da justiça e o progresso do bem sem sabor. Uma coisa é quando um homem se mostra um verdadeiro pateta, incapaz de distinguir o certo do errado, ou a justiça da injustiça. Mas, quando um homem compreendeu em seu coração o mal da injustiça e mesmo assim volta as costas ao dever e comete quaisquer atos de injustiça, ele não possui o caráter de um guerreiro. Essa é uma situação bastante lamentável. Pode-se dizer que a falta de paciência é a fonte de tais atos. Embora a frase "falta de paciência" não soe tão mal, quando examinamos sua raiz, certamente vamos entender que se trata de injustiça surgindo da covardia.

Diz-se, assim, que é essencial para um guerreiro evitar a injustiça e agir de acordo com a justiça.

Além disso, parecem existir três níveis do que é chamado "atuar de acordo com a justiça". Por exemplo: digamos que você vai sair com um conhecido seu para um lugar qualquer e o seu companheiro leva com ele 100 *ryos*[2] em dinheiro. Como seria inconveniente para ele andar com esse dinheiro nos bolsos, ele deseja confiar esse dinheiro a você até que ele retorne; assim, você se torna o depositário secreto desse dinheiro. Mas, antes que vocês saiam juntos, o homem sofre de súbito um ataque por envenenamento ou uma apoplexia, e morre imediatamente sem que nenhuma alma viva saiba do depósito de dinheiro feito entre vocês dois. Numa situação assim, um homem que de fato agiu com justiça ficará penalizado com as lamentáveis circunstâncias e, sem o menor vestígio de um mau pensamento, irá explicar o assunto do depósito de dinheiro à família e aos parentes do homem, devolvendo rapidamente esse dinheiro.

Em seguida vem a pessoa que pensa que o homem na verdade era apenas um conhecido, dificilmente alguém com quem ele tinha familiaridade e intimidade. Além disso, uma vez que ninguém sabia do depósito de dinheiro, provavelmente ninguém perguntaria por ele mais tarde. Uma vez que as circunstâncias se precipitaram, esse seria um desfecho conveniente, e não faria mal a ninguém manter o dinheiro consigo. Ter esses pensamentos maus, mas depois sentir a mesquinhez de coisas assim e um

---

2. *Ryos – plural de ryo, unidade monetária utilizada no Japão feudal desde o período Kamakura (1185 a 1333) até o final do período Tokugawa (1603 a 1868), com o início do período Meiji (1868 a 1912) foi trocado pelo Iene.*

sentimento de repugnância para consigo mesmo, e por fim devolver o dinheiro, isto é o que podemos chamar de vergonha no coração de alguém, e agir com justiça.

Finalmente, há o homem que devolve o dinheiro quando há pelo menos uma pessoa na família e entre os criados que sabe alguma coisa sobre o dinheiro, e ele se envergonha da opinião dessa pessoa ou receia futuro falatório. Dizemos que esse homem tem um sentimento de vergonha diante dos outros e age com justiça. Embora haja alguma dúvida sobre como um homem assim iria agir se ninguém soubesse do dinheiro, pode-se dizer que ele é um homem que sabe o que é a justiça e age de acordo com isso. Geralmente, um entendimento da prática da justiça tem origem no sentimento de vergonha que surge do sincero desprezo dos amigos de um homem, começando por seus próprios familiares e criados, e tal sentimento é ampliado para um sentimento de vergonha diante da zombaria e desprezo de outras pessoas. Quando alguém pratica a justiça e evita a injustiça desse modo, é certo que a própria prática irá tornar-se um hábito mental, e mais tarde esse alguém terá uma inclinação para apreciar a justiça e odiar a injustiça.

Além disso, também com referência ao valor marcial, ao enfrentar o campo de batalha, um homem de natureza valorosa não vai considerar de modo algum a chuva de flechas e de tiros, imerso em lealdade e cumprimento do dever, e fazendo de seu próprio corpo um alvo. Quando o valor desse espírito se manifesta, não nos resta mais nada para dizer acerca da conduta admirável de tal homem.

Por outro lado, de acordo com o indivíduo, existem aqueles que sentem as pernas tremer e procuram descobrir, atônitos, qual é a melhor maneira de agir em situações assim perigosas. Mas, como serão vistos por seus companheiros como os únicos que travam enquanto os outros avançam, e ao mesmo tempo não serão capazes de se desculpar mais tarde, são obrigados a moldar seu pensamento e avançar com os valentes previamente mencionados. Embora tais homens sejam muito inferiores àqueles que são corajosos por natureza, até mesmo eles, se encontrarem tais condições muitas vezes, ao repetir a experiência e acostumar-se a ela, vão tornar-se guerreiros autores de feitos admiráveis, e de modo algum inferiores aos que nasceram bravos. Assim, dizemos que para agir com justiça e empenhar-se com coragem não há princípio melhor que o sentimento de vergonha. Porém não há nada que possa ser ensinado ao homem que agir injustamente ignorando as acusações dos outros, ou continuar a cometer atos de covardia, levando outros a rir-se dele, se o quiserem, enquanto condenam sua fraqueza.

NO ESPÍRITO, O CAMINHO; NA FORMA, A LEI.

O estudo do *Caminho do Guerreiro* nada mais é do que o regulamento interno do pensamento de acordo com o *Caminho*, e a forma externa de preservar a Lei. Regular o pensamento de acordo com o *Caminho* é entender que cada um dirige seus negócios seguindo a justiça e a retidão do *Caminho do Guerreiro*, e não se desvia nem mesmo na espessura de um fio de cabelo na direção da injustiça e dos maus caminhos. Pensa-se também que é muito apropriado, a fim de estudar em detalhe a história do Caminho, encontrar um homem valoroso, instruído nas obras e nas tradições dos sábios. Além disso, também a fim de preservar a forma da *Lei*, há duas *Leis* e quatro níveis. As duas Leis são a *Lei da Condição Normal* e a *Lei da Discussão*. Os quatro níveis incluem, dentro da *Lei da Condição Normal*, o *Código do Cavalheiro* e as *Artes Marciais*; e dentro da *Lei da Discussão*, a *Lei Marcia*l e a *Estratégia de Combate*.

Primeiramente, o *Código do Cavalheiro* consiste em banhar-se de manhã e à noite, lavando as mãos e os pés, e mantendo o corpo limpo. Toda manhã bem cedo o Cavalheiro deverá atar seu cabelo, raspando a testa de vez em quando. Ele deverá usar um traje adequado de acordo com a estação, e portar suas espadas: a longa e a curta. Coisas desse tipo são bastante naturais. Ele também terá sempre à mão um leque, mesmo que faça tempo frio. Ao encontrar convidados, o Cavalheiro deverá usar toda a extensão da sua cortesia, de acordo com a posição social do convidado e tomar cuidado a fim de não empregar palavras vãs. Até mesmo compartilhando uma única tigela de arroz ou uma única xícara de chá, ele deverá demonstrar prudência, fazendo isso com habilidade e evitando negligência. Se estiver servindo como vassalo, todas as vezes em que se encontrar livre e descansando deverá aprender alguma coisa de um livro ou exercitar a escrita, ao invés de ficar apenas sentado à toa. Além disso, ele deverá impregnar seu pensamento com práticas tradicionais e próprias do guerreiro. Quer chegue, quer saia, assentado ou dormindo, deverá comportar-se de tal modo que suas atividades e maneiras sejam vistas como próprias de um guerreiro.

Depois estão colocadas as *Artes Marciais*. Embora não falte nada no *Código do Cavalheiro*, ele deve em sua qualidade de guerreiro cavalheiresco pensar que o seu dever básico é o de mostrar-se treinado no uso das armas. Assim, ele será levado a iniciar-se na Arte desembainhando a espada que tem à mão, e aprendendo o que é combater. Deverá adquirir gosto pelas artes marciais e começar o treinamento nelas, seja o manejo da lança, a arte de cavalgar, de manejar o arco e o rifle, atingindo sua dimensão própria de habilidade. Se um guerreiro for em frente, e disciplinar-se nos diversos níveis do *Código do Cavalheiro* e das *Artes Marciais*, ele não irá de forma alguma carecer de algo da *Lei das Condições Normais*, e será considerado um guerreiro bom e valoroso pela maioria das pessoas.

Seja como for, o guerreiro é um homem que, às vezes, faz uso de força bruta, nos casos de perturbações sociais. Nessas ocasiões, um homem que se reveste de armadura está dispensado da cerimônia, e tem de colocar de lado temporariamente o *Código do Cavalheiro* usual. Os homens que comumente são chamados de "senhor" e "mestre" passam a ser chamados de "general", e todos os defensores samurais de alto ou baixo escalão são chamados "soldados" e "tropas". E ambos, os de alto e baixo escalão despem o traje formal, revestem a armadura, pegam o bastão de soldado, e avançam para o território inimigo. Esta é a condição do campo de batalha. A prática dos diferentes métodos e exercícios que dizem respeito a essas coisas recebe o nome de Lei Marcial, e não se deve dispensar esse conhecimento.

Finalmente, há a Estratégia de Combate. Quando os inimigos e aliados de alguém estão no campo de batalha, essas estratégias são determinantes para conquistar a vitória se a disposição e número dos aliados desse alguém foram corretamente avaliados, e determinantes para a derrota se isso foi mal avaliado. As práticas e tradições secretas desses diferentes métodos e exercícios recebem o nome de Estratégia de Combate; é conveniente, portanto, que se tenha esse conhecimento. Um guerreiro esmerado na busca do conhecimento dos quatro níveis da Lei das Condições Normais e da Lei da Discussão é conhecido como o samurai de mais alta categoria. Embora baste que alguém se prepare apenas segundo a Lei das Condições Normais, se a sua consciência dos dois níveis da Lei de Altercação for deficiente, ele não estará apto a cargos importantes tais como de um general, líder de grupo ou administrador.

É essencial que um guerreiro busque mais que pensar atenciosamente sobre esses pontos e, na sua qualidade de guerreiro, busque disciplinar-se na Lei de Combate e na Estratégia de Combate, sem mencionar o *Código do Cavalheiro* e as Artes Marciais. Ao mesmo tempo, não deverá abandonar seu propósito de tornar-se um samurai de primeira classe.

ESCOLHENDO UM CAVALO

Nos tempos antigos a palavra "guerreiro" era entendida como "arco e guerreiro"; e homens de alto e baixo escalão atingiam as culminâncias das artes marciais praticando o arco e flecha e cavalgando. Em tempos recentes o guerreiro considera a espada longa, a lança e a arte de cavalgar essenciais, e as treina de acordo com isso. Além dessas, existem as diversas artes do arco, do atirar, *iaidô*[3] e judô; é importante que jovens guerreiros se exercitem dia e noite, aprendendo bem essas artes.

Especialmente o guerreiro de baixo escalão deverá aprender a cavalgar bem; mesmo se os cavalos forem extremamente deficientes ou rebeldes, ele deverá ser capaz de montá-los sem dificuldade. Isto porque cavalos que sejam ao mesmo tempo belos e fáceis de cavalgar são a coisa mais rara no mundo. E mesmo que cavalos assim existam, eles serão possuídos por guerreiros de alta categoria, e assim dificilmente serão conduzidos por guerreiros de baixo escalão. Basta que alguém tenha talento como cavaleiro, e ele será capaz de selecionar uma montaria que, mesmo sendo deficiente e tendo maus hábitos ou sendo rebelde, ainda será considerada boa. Ele será capaz de fazer isso por um baixo preço e para seu uso próprio; e isso será sempre o mesmo que se ele tivesse um cavalo de preço muito acima de suas posses. Falando de um modo geral, apenas se preocupar em julgar a cor e características de um cavalo é algo próprio dos guerreiros de alto escalão. Para um guerreiro da classe baixa é essencial entender que ele simplesmente deverá procurar um cavalo que seja bom, sem levar em consideração a cor e características dele, ou se é um cavalo que desagrada às pessoas. Há muitos anos, entre os generais guerreiros do *Murakami dan in Shinshu*, havia um guerreiro perfeito chamado *Gakuganji*, que comandava 300 cavaleiros. Ele desenvolveu uma

---

3. *Iaidô – Arte marcial japonesa do desembainhar a espada, utilizada como defesa ou ataque preventivo*

tradição de manter cavalos para ele mesmo e os auxiliares do *han*; esses cavalos tinham cor e características geralmente desprezadas por outros. Ele não treinava os samurais do *han* num terreno comum, mas saía com 50 ou 100 homens para um vasto campo abaixo do castelo e, assumindo ele mesmo o comando, cavalgava através do campo manobrando em forma de cruz. Ele elogiava como bons cavaleiros eram aqueles que cavalgavam livremente de tal modo que, quando pareciam a ponto de tombar, retomavam a sela, e quando pareciam bem montados podiam saltar rapidamente para o chão. Os que não eram capazes de fazer isso eram considerados maus cavaleiros. Assim, naqueles dias, sabia-se que até os vassalos do Takeda Shingen vigiavam cuidadosamente adversários como Gakuganji; e isso era um grande elogio para sua arte. Além disso, embora seja ótimo para um guerreiro ser apreciador de cavalos, há bem e mal nisso. Os guerreiros antigos amavam os cavalos porque, quando havia uma batalha e eles tomavam suas armaduras e estandartes, ficavam mais pesados e eram incapazes de marchar bem. Assim, sem cavalos, não podiam executar manobras durante a batalha; desse modo, seus cavalos tomavam o lugar de suas duas pernas. E, se ocorresse algum incidente, seria cavalgando esses cavalos que eles assumiam a liderança e desempenhavam bem a arte militar. E mais: quando alguém saía cavalgando esse cavalo para encontrar o inimigo em batalha, havia sempre a possibilidade de que o animal também sofresse graves ferimentos e perdesse sua vida, conforme a situação. Homens assim, portanto, consideravam sua montaria com simpatia e se empenhavam em mantê-lo sempre bem alimentado e escovado, mesmo um cavalo seja apenas um animal.

Dentre aqueles que hoje em dia são chamados apreciadores de cavalos, nove em cada dez procuram um cavalo mau, do qual o dono se cansou, e o corrigem, ou buscam encontrar um cavalo novo que foi usado no campo a fim de deixá-lo treinado e escovado. E, visto que sua única intenção é vender esses cavalos por um alto preço, eles mesmos jamais possuem cavalos. Homens assim, sem exceção, não são de natureza diferente dos comerciantes e vendedores de cavalos, e por isso são inferiores até mesmo àqueles que absolutamente não gostam de cavalos.

TAGARELICE E RESPOSTA GROSSEIRA SÃO INDESCULPÁVEIS

É essencial que um guerreiro a serviço de um senhor tenha a prudência de não tagarelar a respeito de equívocos que ele observou em seus companheiros. Por isso cada um deve ser discreto o bastante para considerar que ele mesmo não é santo nem sábio e que, por um longo período de tempo, certamente cometeu enganos e incorreu em mal-entendidos.

Alguém poderia pensar que é natural que especialmente aqueles samurais que são os principais vassalos e os anciões mais destacados e que estão acima de todos os outros samurais sejam correspondentes pelo caráter, sabedoria e espírito à dignidade do seu cargo e ao seu salário. A longo prazo, entretanto, a coisa não é assim. Os homens que se tornaram os principais vassalos e oficiais mais velhos do *Shogun*[4], que governaram todo o país, foram escolhidos dentre os muitos senhores de províncias e de castelos, e principalmente com base em seu caráter pessoal. Assim, na medida em que eles eram homens que já eram oficiais, considerava-se que nenhum deles carecia de talento. Para os clãs dos senhores que governavam os diversos distritos e províncias, porém, havia muito poucos samurais dentre os muitos pertencentes aos clãs, que se mostravam adequados em termos de estipêndio e linhagem, e que portanto seriam capazes de assumir as posições de vassalos principais e oficiais mais velhos. Em consequência disso, visto que seria difícil escolher homens com base estrita em seu caráter pessoal, os *daimyos*[5] escolhiam geralmente homens do tipo médio, que eram abençoados em termos de estipêndio e linhagem, e ajuntavam estes aos vassalos principais e oficiais superiores. Os senhores pensavam que, com o tempo e a experiência, esses homens deveriam acostumar-se ao seu trabalho e mais tarde prestariam bons serviços. Assim, essas posições eram preenchidas.

Tais vassalos principais e oficiais superiores eram, às vezes, deficientes em relação aos seus cargos e posições. Poderíamos dizer, entretanto, que é um mal-entendido pensar que se pode observar essas deficiências e, em

---

4. Shogun – cargo militar que posteriormente tornou-se uma forma de governo no Japão dos séculos XII ao XVIII. Durante as invasões mongóis, Minamoto no Yoritomo recebe o cargo temporário de Sei-i Taishógun (General-comandante do exército na luta contra os bárbaros) em 1192, com poderes que rivalizavam aos do imperador. Mas ao invés de devolver o cargo, Minamoto passou a governar no lugar do imperador como shogun. Não houve a deposição da família imperial, pois formalmente o imperador mantinha todos os seus poderes, mas na prática era um refém do shogun. Houve três shogunatos: Kamakura (1992-1333), Ashikaga (1336-1573) e Tokugawa (1603-1868)

5. Daimyo – senhor de terras, comparativamente similar aos senhores feudais da Europa medieval. Também se referia às principais figuras dos clãs, de onde costumeiramente saíam os shoguns.

seguida, censurar, julgar ou difamar esses homens. O motivo é que homens são como grama e árvores que florescem e dão fruto durante alguns anos e durante outros, não. Assim, podem existir pais inteligentes cujos filhos carecem de habilidade por natureza, ou pode haver filhos que superam seus pais em talento; foi assim no passado.

Não é que o senhor não veja essas deficiências, mas ele não deve esquecer a lealdade e os esforços de gerações inteiras dos ancestrais de um homem; e, de acordo com essa linhagem, coloca aquele homem numa posição importante. Certamente isso é razoável e, na sua qualidade de vassalo, um homem deverá sentir prazer e ser agradecido por isso.

Portanto, ainda que se possa ouvir algo muito irracional de alguns dos principais vassalos e dos oficiais superiores e anciãos do *han*, ele não pode simplesmente deixar passar mas deve conter sua ira e terminar o assunto com o decoro. Certamente, se o *daimyo* tivesse dito isso, não haveria uma única palavra de refutação, não importando o quanto as suas palavras pudessem ter sido insensatas. Visto que os vassalos principais e os oficiais superiores falam pelo *daimyo*, pode-se dizer que a palavra deles é como se fosse a do próprio senhor. Entretanto, como há uma diferença entre o lorde e seus vassalos, podemos dizer que é razoável expressar pensamentos em palavras da maneira mais educada e harmoniosa possível. O guerreiro está certo ao considerar que falar de maneira grosseira o que ele tem em mente a homens que ocupam a importante posição de vassalos principais e oficiais superiores é uma grande descortesia para com o senhor, não importando o quanto ele possa estar "correto".

Pois bem: os oficiais que desempenham seus diversos deveres não são inteiramente escolhidos por causa de sua linhagem e parentesco e, sim, selecionados dentre os muitos samurais das hierarquias superiores, principalmente por seu caráter pessoal. E, visto que a coisa é assim, há razão para acreditar que nenhum deles carece naturalmente de talento. Todavia, visto que podem existir alguns homens que agradam ao senhor, que ele planeja habituar pouco a pouco ao seu serviço, podem existir também alguns homens jovens e imaturos que servem ao seu lado. Com homens assim, é provável que haja mal-entendidos, negligência e carência de discernimento, mas não é bom censurar, perturbar, caluniar ou ridicularizar esses homens. Não importa o quanto uma pessoa possa ser naturalmente capaz: quando existe algo faltando nela, ela entenderá o assunto do modo adequado à sua inexperência.

Falando de um modo geral, todos os homens com deveres, tais como os dos vassalos principais, oficiais superiores e outros oficiais, cumprem suas determinações sob o discernimento do seu *daimyo*, e por consequência falar mal dos negócios deles é o mesmo que difamar o próprio senhor. Além disso, quando alguém necessitar da ajuda daqueles homens para um negócio ou outro, esse alguém deverá ser discreto quanto aos seus modos, colocar suas mãos no chão, curvar-se e humildemente solicitar ajuda. Nessa ocasião ele não terá que franzir os lábios que até então caluniavam e ridicularizavam em segredo e, qualquer que seja sua utilidade, dizer coisas dignas de um guerreiro? Deve-se meditar profundamente sobre coisas assim.

O BUSHIDO E A ETIQUETA

Os *Caminhos da Lealdade* e da *Piedade Filial* não são limitados apenas à classe guerreira. Porque as classes dos fazendeiros, assim como a dos artesãos e negociantes, devem seguir esses dois *Caminhos* inteiramente, nas relações entre pai e filho, entre senhor e servidor.

Todavia, no caso de fazendeiros, artesãos e comerciantes, as maneiras e a etiqueta são secundárias. Por exemplo, quando uma criança ou um servidor estão assentados juntamente com um pai ou mestre, não faz diferença se eles cometem todo tipo de grosseria tal como assentar-se com as pernas cruzadas, manter as mãos nos bolsos ou falar sem colocar as mãos no chão. Tudo vai bem enquanto a sua intenção não for grosseira e ele tiver a sincera intenção de dar importância ao seu pai ou mestre. Essas são a lealdade e piedade filial dessas três classes.

No *Bushido*, os *Caminhos da Lealdade e da Piedade Filial* não podem ser completamente preenchidos se a etiqueta não for também mantida em forma por completo, não importando o quanto ela for mantida no coração. Por exemplo, é inaceitável que alguém que siga o Caminho do Guerreiro proceda de um modo negligente na presença de seus pais, muito menos na presença do seu senhor. A lealdade e piedade filial do guerreiro permanecem firmes e de modo algum derivam em grosseria, mesmo quando ele está em lugares que os olhos de seu mestre e de seus pais não o alcançam.

Por exemplo: não importa onde alguém para à noite e se deita para dormir; ele não deve em momento algum colocar a sola de seus pés na direção de seu senhor. Do mesmo modo, quando estiver dependurando lanças e Alabardas, a ponta não deve estar voltada para o lorde.

Além disso, quando ouvindo ou falando acerca de assuntos que dizem respeito ao senhor de alguém, o guerreiro que estiver deitado deverá assentar-se; se assentado normalmente, deverá corrigir sua postura. É exatamente essa atitude que se espera de um guerreiro. Mas estender o pé na direção do *daimyo* sabendo exatamente onde ele se encontra; falar sobre o senhor estando ainda deitado; receber sem a devida cerimônia carta escrita pelos pais de alguém, lendo-a assentado com as pernas cruzadas ou deitado, jogando-a num canto ou usando-a para limpar uma lanterna: tudo isso provém de pensamentos indignos de confiança e não consiste no pensamento de verdadeira lealdade e piedade filial do guerreiro. Um homem com essa disposição desconhece o que é dever, e isto porque ele não faz distinção entre ele mesmo e os outros. Quando encontrar homens de outros lugares ou clãs, um homem assim irá relatar e explicar as coisas ruins do oficial mais graduado de seu senhor. Se alguém completamente estranho tratar com ele em termos de intimidade, ele irá relatar de maneira fácil e aberta histórias ruins ridicularizando seus parentes e irmãos, caluniando todos eles. Assim, cedo ou tarde ele será punido por seu senhor, ou seus parentes sofrerão algum desastre; ou, então, ele irá encontrar uma morte que diminuirá seu nome de guerreiro. E mesmo que ele viva, será reduzido a um modo de vida sem valor e de qualquer modo será incapaz de passar sua vida sem incidentes. E é justo que seja assim.

Nesse contexto, durante o período *Keicho* [1596-1611], entre os vassalos de *Fukushima Saemon Tafu Masanori* havia um bravo samurai chamado *Kani Saizo*. Em sua qualidade de general da infantaria, Saizo estava encarregado da *Porta Kurogane* do castelo interior em *Hiroshima*, em *Geishu*. Lá ele mantinha vigilância dia e noite, mas por causa de sua extrema velhice ele se deitava e cochilava a fim de descansar. Certa vez, quando ele estava cochilando, um serviçal do lorde Masanori levou para ele um faisão, explicando que o pássaro tinha sido capturado pelo falcão do próprio senhor Masanori e foi enviado para Saizo. Quando Saizo ouviu isso, levantou-se, pegou uma *hakama*[6] que havia separado e colocado ao perto, chegou mais perto do castelo, recebeu o presente com dignidade e proferiu um agradecimento ao senhor. Depois ele censurou o serviçal, dizendo: "Que criança você é, e que pateta!; esse era o desejo do senhor e você não se manifestou assim; mas entregou-me dessa maneira, assim como estou neste momento! Se você não fosse uma criança, haveria um meio de lidar com você; mas, como você é um serviçal, vou deixar isso passar". O serviçal ficou aterrorizado e voltou rapidamente, relatando a situação aos outros jovens serviçais. Assim, a história foi casualmente ouvida pelo *daimyo* Masanori, que mandou chamar o serviçal e o interrogou acerca do que se passava. Quando o serviçal lhe contou toda a história de Saizo, lorde Masanori disse: "A falta de correção foi sua, e Saizo

---

6. Hakama – calça semelhante a uma saia longa. Era usada pelos samurais quando cavalgavam para proteger a roupa, mas como no Japão o couro não era acessível para a maioria dos samurais pelo alto custo, usavam no lugar um tecido bem rústico. Mas quando a maioria passou a combater a pé, mantiveram o hakama com um símbolo, tanto que as sete pregas têm significado: 1)Yuki; coragem, valor, bravura. 2)Jin; humanidade, caridade, benevolência. 3) Gi; justiça, retidão, integridade . 4) Rei; etiqueta, cortesia, civilidade. 5) Makoto; sinceridade, honestidade, realidade. 6) Chugi; lealdade, fidelidade, devoção. 7) Meyo; honra, reputação, glória ou reputação, dignidade, prestígio.

teve toda a razão de irritar-se. Eu gostaria que todos os samurais das províncias de Aki e Binge pensassem como Saizo; então, poderíamos realizar prodígios".

AO SE PENSAR NO CAMPO DE BATALHA, NÃO SE PODE SER INDOLENTE

Os dois deveres de um guerreiro, quer ele seja de alto ou baixo escalão, são fazer frente ao campo de batalha e construir fortalezas. Quando todo o país estava em guerra, havia batalhas aqui ou operações militares lá, de manhã e à noite, e um guerreiro não tinha um só dia de descanso. Junto ao campo de batalha aparecia sempre a construção de fortalezas. Guerreiros, importantes ou não, trabalhavam dia e noite na construção de fortalezas, largos fossos, paliçadas e fortificações de batalha e fronteiriças, e o esforço que eles faziam era extraordinário. Em tempos de paz, entretanto, não há batalhas, e por isso tampouco há a construção de fortalezas. Assim, para o samurai de qualquer classe servindo a um comando militar, há diversas funções estabelecidas, tais como montar guarda, acompanhar o senhor, atuar como mensageiro ou até mesmo simplesmente estar presente. Porém, há pessoas que se perguntam se essas são as reais funções de um guerreiro. Essas pessoas não pensam nas duas reais funções de encarar o campo de batalha e a construção de fortalezas até em seus sonhos pela aurora. Tais homens vão murmurar e queixar-se por ceder o que lhes pertence, mesmo quando o montante é pequeno, quando seu senhor recebe ordens do *Bakufu* para ajudar em alguma construção do governo; e, como as despesas são grandes, o senhor requer alguma ajuda, dividindo a despesa entre todos os seus vassalos. Isso, enfim, resulta de uma falta de consciência de que os deveres essenciais do guerreiro são encarar o campo de batalha e construir fortalezas.

Além disso, até para os deveres regulares de uma sentinela, servidor e mensageiro, existem homens que consideram seu próprio emprego como trabalhoso; e embora eles não estejam assim tão mal, vão dar desculpas para ausentar-se do trabalho, vão confiar na ajuda de seus companheiros; e não pensam no trabalho que eles podem causar a outros. Ou, então, detestando fazer despesas, ou dar-se ao trabalho de servir como mensageiro durante uma viagem, alguns vão fingir doença e pedir dispensa, passando as despesas e o trabalho para outros; finalmente, quando aparecem ao seu trabalho, mostram-se indiferentes ao desprezo de seus companheiros.

Além disso, existem aqueles que, quando estão a serviço ou numa missão, vão a um lugar bem perto e se queixam sem nenhuma vergonha, perante seus companheiros, por precisar ir a um mesmo lugar duas vezes no dia ou sobre a violência do vento e da chuva. Tais homens manifestam uma atitude degenerada com respeito a seus deveres, sem considerar que sofremos de um modo ou de outro; e eles não são nada mais que serviçais e lacaios na pele de samurai.

Não importa o quanto exatamente os deveres de um homem sejam cumpridos; se houver alguma função realizada no interior da casa ou acompanhando o mestre quando ele se anda nas proximidades, não existe absolutamente nenhum incômodo. Por que isso acontece? Todas as vezes que os guerreiros que nasceram no Período dos

Estados em Luta iam para a batalha o calor ressecava sua armadura, os ventos frios do inverno sopravam entre a armadura e sua pele e eles tinham que encarar todo tipo de dificuldade. Não havia, porém, nenhum meio de escapar ou driblar o calor e o frio; assim, eles dormiam em estradas nas montanhas, as mangas de suas armaduras serviam-lhes de colchão, batidas pela chuva e cobertas pela neve. Além disso, eles só tinham para comer arroz queimado e sopa salgada, e as durezas e privações que eles suportavam no campo de batalha ou atacando e defendendo castelos não eram certamente ordinárias. Quando se pensa que essas coisas passaram, então se sabe que os três deveres dos tempos de paz, previamente mencionados, são fáceis. Assim, se um homem se aproxima de seus deveres vendo-os ainda como indefinidos, com um coração fraco, como ele será capaz de suportar as penas de uma batalha ou viagem? E isto não é algo vergonhoso diante do desprezo de guerreiros sensatos?

Para ir à casa de um guerreiro neste mundo, um homem deve estar com sua armadura dia e noite e alojar-se nas montanhas, nas planícies e nas praias. Entretanto, nascendo numa época de paz, homens de alta e baixa categoria dormem sob uma rede contra mosquitos no verão e sob um edredom no inverno, comendo de manhã e à noite aquilo que lhe agrada, vivendo uma vida de conforto. Se entendermos isso como uma grande sorte, não há motivo para pensar que montar guarda na casa, acompanhar o senhor nas proximidades ou desempenhar um papel de mensageiro seja algo de pesado e incômodo.

A respeito disso, um dos anciões do clã de *Takeda Shingen*, em *Kai*, *Baba Mine no Kami*, um homem extraordinariamente habilidoso no manejo do arco, tinha as palavras "Vivendo Constantemente no Campo de Batalha" dependuradas na sua parede. Diz-se que essas palavras passaram a ser usadas para todas as situações do cotidiano.

NÃO SE ABATA PELO TAMANHO DO SERVIÇO

Desde há muito tempo existe um provérbio que diz: "sacerdote e samurai" e, quando se pensa um pouco sobre o porquê disso, percebe-se a semelhança entre um e outro.

No Zen budismo, por exemplo, os títulos de *zasu* e *shuso* são atribuídos ao sacerdote comum, assim como baixos cargos são dados ao samurai comum. Depois, assim como sacerdotes recebem o título de *tanrio* e *sei-do*, guerreiros recebem o título de *metsuke, tsukaiyaku, kumigashira* ou *kachigashira*. Finalmente, embora o próprio sacerdote ainda seja o mesmo, quando ele usa traje colorido, porta o símbolo de sua seita e leciona para um grande número de sacerdotes, ele é chamado de um *choro* ou *osho*. Entre guerreiros, o homem que recebe bandeiras, armaduras, e um cetro de comando e que estabelece a ordem de batalha e dirige as tropas é chamado de samurai *daisho*, um *ashigaru daisho*, ou um dos seis *bugyo* militares. Quando consideradas desse modo, existe uma semelhança entre as organizações do Budismo e a do guerreiro, e assim nós temos o provérbio "sacerdote e samurai". Entretanto, quando abordamos disciplina nos estudos, podemos pensar que a disciplina dos guerreiros no treinamento é muito inferior à dos sacerdotes.

Isto porque no budismo, enquanto passa pela iniciação, o sacerdote deixa seu próprio mestre e faz peregrinação a vários templos, encontrando diversos estudiosos e famosos mestres e fazendo esforços continuados de meditação. À medida que ele é promovido através das posições de *tanryo*, *seido*, *chore* e *osho*, até mesmo se tornando o sacerdote chefe de um templo importante, ele domina seus estudos sem uma ponta sequer de embaraço, aguardando sua partida deste mundo. Isto é disciplina em sua plenitude. Embora alguém pudesse pensar que acontece a mesma coisa na classe militar, na verdade aqueles que ainda estão em treinamento e ainda não receberam funções ou receberam apenas postos baixos, possuem herança de seus pais ou assumiram a chefia de uma casa após a aposentadoria de seus pais. Assim, a renda deles é considerável e não lhes falta roupa nem alimento nem abrigo. Enquanto ainda jovens, eles educam uma família e dormem dia e noite. Por não fazerem esforços para estudar as artes marciais – que são a lei permanente do guerreiro samurai –, eles possuem um interesse menor em tática e estratégia, que estão mais distantes. Todos os dias eles deslizam nesse caminho; os meses se transformam em anos, enquanto os cabelos deles embranquecem, suas cabeças se tornam calvas, e de certo modo eles assumem um aspecto de respeitáveis oficiais.

Quando um homem assim é selecionado a fim de tomar conta de um posto aberto, até mesmo apenas para desempenhar o papel fácil de um *tsukaiban*, é rapidamente dominado pela posição. De algum modo, porém, com ajuda dos mais velhos e associados, ele aprende a manejar a situação. Se depois recebe a difícil tarefa de viajar para uma província distante, fica chocado e embaraçado nos preparativos para a viagem. Sem a participação dos mais velhos e dos associados, o homem se empenha na busca do protocolo de seus deveres ou então busca emprestado noutros lugares memórias e notas sobre o assunto, e por fim realiza a tarefa escapando felizmente ao fracasso. Esse não pode ser considerado o *Caminho do Guerreiro* básico. O motivo é que existe um limite para os deveres do guerreiro e, enquanto o samurai comum que ainda não tem uma função não está fazendo nada dia e noite, o guerreiro pensa sobre quando e sobre que espécie de dever ele pode ser incumbido, e o que agradaria ao seu senhor. Ele também vai pensar integralmente sobre os meios de realizar os diversos deveres e se existem especialistas nessas áreas entre seus parentes e afins; quando encontrar-se com eles, ele conversará com objetividade, e perguntar repetidamente acerca de objetos que se espera encontrar no futuro, memorizando os detalhes. E, se existem notas antigas e esboços sobre esses assuntos, ele vai reuni-los, examiná-los e copiá-los, mesmo se não tiverem utilidade naquele momento.

Se captar desse modo a essência das coisas, ele irá seguir um curso racional e seguro, não importando quando ou que espécie de tarefa ele receba.

Além disso, sob condições normais um homem pode conduzir seus negócios confiando em seus associados e nos mais velhos e confiar na instrução que eles lhe concedem. Mas, se ocorrer algo de inesperado e acontecimentos forem iminentes, não se pode depender da ajuda e orientação de especialistas; e, para melhor ou para pior, as questões deverão ser solucionadas apenas pelo próprio discernimento. Especialmente para o dever de campanha do *tsukaiban*, um homem deverá ter entendimento do número de tropas envolvidas, do tipo de disposição dessas tropas no campo de batalha, dos pontos fortes e fracos do castelo, das vantagens e desvantagens do terreno e da perspectiva de vitória ou derrota. Assim, já se disse desde tempos muito antigos que o dever do *gunshi* é muito difícil.

Para um *tsukaiyaku*, na verdade, quando o seu trabalho de reconhecimento contém enganos, isso é geralmente produto de seu descuido e inadvertência. Mas aqueles com a categoria de *ashigaru taisho* e acima – que portam o bastão de comando, manobram grande número de homens e dirigem a batalha – ocupam de fato um cargo importante. Isto porque é uma velha e venerável lei militar, a de que os vencedores vão golpear e os vencidos serão golpeados. Assim, a vida e a morte de numerosos aliados dependem das ordens do general. Não saber disso e, não obstante, aceitar um comando, colocando-se orgulhosamente acima de todos os outros samurais, é o cúmulo da desonra.

Isso seria o mesmo que um sacerdote Zen, que dormisse o dia inteiro como um monge qualquer e negligenciasse os estudos da sua seita, fosse promovido por idade, por sua cabeça calva, sendo elevado aos cargos de *chore* e *osho*, usando o traje colorido, portando seus símbolos religiosos e lecionando para um grande número de sacerdotes.

Esse falso sacerdote, entretanto, mantendo uma posição assim no mundo budista e cometendo alguma desonra, torna-se francamente um motivo de riso para seus discípulos e motivo de embaraço para si mesmo. Ele não causa perturbação a nenhum dos que se encontram abaixo dele. A coisa é diferente entre guerreiros, porque o samurai *daisho*, os diversos *gashira* e os *bugyo*, que seriam os equivalentes militares dos *osho*, ameaçam as vidas dos seus homens e dos seus aliados quando eles cometem enganos no comando ou nas manobras, ou perdem a batalha do dia. As perdas deles são grandes, na verdade. Portanto, é essencial entender isso bem; e se vai achar sua vocação entre guerreiros enquanto for ainda um soldado comum e sem funções e dispõe de tempo livre, ele deverá buscar instruir-se não somente na disciplina das artes marciais de um samurai, mas também da estratégia e da tática, familiarizando-se com os seus princípios mais secretos. É essencial, também, que ele se instrua e autodiscipline de tal modo que jamais lhe falte habilidade para realizar bem todas as suas funções, inclusive a de comandar.

A LEI DE TOMAR EMPRESTADA A AUTORIDADE DO SENHOR

Diz-se que, às vezes, o guerreiro que serve toma emprestada a autoridade do seu *daimyo*. Também existem ocasiões nas quais se pode dizer que ele "rouba" aquela autoridade. Além disso, noutras ocasiões o senhor pode emprestar sua autoridade a um vassalo. E há ocasiões em que um cliente é induzido a roubá-la.

As razões são as seguintes:

Um guerreiro pode receber uma função importante e, talvez por causa da sua juventude ou baixa condição, ou talvez por causa da disposição dos seus vassalos, se não fizer uso da autoridade de seu senhor sua função não será realizada. Deste modo, enfim, visto que ele toma por algum tempo a autoridade de seu *daimyo* e abriga-se sob a influência dele, podemos dizer que tomou emprestada autoridade do seu senhor.

Quando for esse o caso e todos os envolvidos responderam sem causar dano ao seu *daimyo*, o melhor a fazer é retornar à autoridade de seu senhor e continuar a servir com prudência em sua função original, com a autoridade própria dessa função.

Entretanto, há ocasiões em que um homem impõe respeito não somente aos seus associados, mas também a pessoas de outros clãs, apenas se fazendo anunciar como representante deste ou daquele *daimyo*, valendo-se da influência desse senhor e tornando-se ávido por ter obtido um secreto vigor, graças ao uso que fez das pessoas. Isso, afinal, significa colher os frutos da autoridade do seu próprio lorde, e poderia ser chamado de roubar a autoridade do seu senhor.

Além disso, há exemplos quando, de acordo com a situação dos tempos, o senhor pode querer emprestar a sua autoridade a um cliente, dando assim ao cliente uma influência maior, e há muitos exemplos disso entre famosos *daimyos* e generais inteligentes do passado. Isto poderia ser chamado de um empréstimo da autoridade do senhor.

Entretanto, quando a função foi realizada e tudo está bem, a autoridade que foi emprestada pelo lorde deve ser gradualmente devolvida. Mas pode acontecer que, devido à tolerância do senhor e ao longo tempo do empréstimo, algo venha a ocorrer e mais tarde a devolução se torne difícil. Por fim, o cliente torna aquela autoridade sua própria. Isto é chamado de roubo da autoridade por um vassalo.

Se uma coisa assim acontece, isto não somente representa uma infelicidade para o senhor como também pode causar-lhe numerosas perdas. A primeira é que, se a autoridade atribuída ao vassalo for muito grande, a autoridade do senhor naturalmente será apagada. E, afinal, aqueles que se encontram em baixa posição vão pensar que – uma vez que tudo que se refere aos negócios daquele *daimyo* se encontra nas mãos do vassalo – eles precisam, antes de mais nada, obter a permissão desse vassalo; e entendem que, assim, tudo está resolvido. Isso é o mesmo que ter dois sóis brilhando no céu, e não é de modo algum uma coisa boa.

Em segundo lugar, todos os samurais e subalternos do clã vão considerar essencial obter eles mesmos as boas graças desse vassalo, e vão considerar os negócios do próprio senhor com pouca atenção. Assim as relações entre o *daimyo* e seus seguidores serão enfraquecidas; menos guerreiros leais e justos vão se apresentar ao clã e daí resulta que, se surgisse alguma agitação, o senhor naturalmente não disporia de bons homens.

Em terceiro lugar, não somente samurais empregados em tarefas insignificantes, mas também aqueles que servem próximo ao senhor, e até aqueles homens em cargos sensíveis, vão recear a autoridade desse vassalo e curvar-se diante dela. Mesmo se eles souberem que a situação não é boa para o senhor, não falarão disso em hipótese alguma, mas apenas lamentarão o assunto no fundo de seus corações, murmurando a respeito em cochichos entre seus amigos íntimos e associados. Nenhum deles vai se apresentar a fim de explicar o assunto ao seu *daimyo*, e assim este último não terá meios para informar-se acerca da cobiça, egoísmo, preconceito e luxo secreto do vassalo. Deste modo, se o senhor simplesmente pensa que tudo que o vassalo faz é bom e não presta atenção à situação, é certo que um desastre imenso vai atingi-lo, todo mundo criticando-o como um homem que não conhece bem as pessoas e não possui o caráter de um senhor ou general. Além disso, em sua arrogância, o homem não irá temer ou respeitar aquilo que o senhor vê ou ouve e não vai levar em consideração os pensamentos dos seus associados. Corrompendo os subordinados, ele mandará presentes (à custa de seu senhor) para a "sua turma" e contará como suas as dádivas que receber em troca. Pessoas de outros clãs e domínios que são mantidos por ele vão receber saquê, peixe, chá e bolos da cozinha do senhor, em desfile diante deles. Assim, ele vai considerar as coisas do seu *daimyo* como dele mesmo e, certamente, as suas próprias coisas como suas; e, por fim, enfraquecerá as finanças do senhor, colocando-as numa situação difícil.

Quando um guerreiro que entende bem esse princípio é notado e bem tratado por seu senhor, é essencial que ele se coloque em seu lugar e controle ainda mais o orgulho em seu coração; assim, tanto mais desejará que a autoridade de seu *daimyo* brilhe bastante.

Eu ouvi um antigo provérbio que diz: "Um bom vassalo sabe que seu *daimyo* existe, mas não sabe que ele mesmo existe".

Mesmo que, de acordo com o tempo e as circunstâncias, a autoridade do senhor seja emprestada a alguém, ele não deve segurá-la por muito tempo e devolvê-la tão logo quanto necessário, nunca tomando o nome e a autoridade do senhor como um ladrão. É preciso estar decidido a isso.

HABILIDADE E DILIGÊNCIA

Existem três espécies de guerreiros servindo como vassalos seu *daimyo*. Os primeiros são samurais devotados, os segundos são samurais de fiel serviço e os terceiros são samurais de devoção e de fidelidade.

Em primeiro lugar, o samurai de devoção vai empenhar-se pelo seu senhor pelo menos uma vez na vida em alguma tarefa importante da qual seus companheiros não são capazes, não importando qual seja essa tarefa. Porque até o senhor vai reconhecer seu trabalho como não tendo sido desmazelado; todos os mais velhos vão reconhecer isso também, e não considerá-lo como precário. E, mesmo se seus trabalhos forem feitos de modo deficiente, o senhor terá uma clara consciência das qualidades especiais dessa pessoa.

Em segundo lugar, embora não se possa dizer acerca do guerreiro fiel que ele fez algo de particular, de especial devoção, ele de certo modo atribui especial importância ao seu lorde. Se existir algum meio de servir, o guerreiro não apenas realiza seu trabalho dia e noite como também contribui alegremente e sem qualquer traço de negligência onde outros, na mesma função, se mostram fracos e embaraçados. Naturalmente, ele realiza seu trabalho de maneira fiel e cuidadosa. Este é o guerreiro fiel.

Finalmente, há o guerreiro de ambas as qualidades: a devoção e o fiel serviço. Enquanto no seu coração ele abriga a sinceridade da devoção, exteriormente ele se esforça por trabalhar com fidelidade, assim como um cavalo que tiver dois estribos. E, embora os guerreiros mencionados, que são unilateralmente devotados ou servidores fiéis, não possam ser chamados de maus, eles são deixados muito para trás quando comparados ao guerreiro que combina as duas qualidades.

Quando alguém compreende bem esse ponto e está comprometido como um vassalo, então seu objetivo só pode ser o de ser chamado um guerreiro que combina devoção e fidelidade. Mas um guerreiro que não preenche nem sequer uma dessas três qualidades é um guerreiro negligente e preguiçoso.

SUPEROU OUTROS DE ALGUM MODO

Não importando qual posição na hierarquia um homem ocupa, se ele quiser ser um guerreiro ele tem que possuir um bom entendimento do que significa vencer. Mais especificamente, ele deve entender que vencer quer dizer também destacar-se; e de certo modo o homem que não supera outros desta ou daquela maneira não pode ser considerado um bom guerreiro.

Por exemplo, se um homem passasse longos anos despendendo um grande esforço no aprendizado de todas as artes marciais e mesmo assim não se tornasse um mestre naquelas artes, teria superado outros se ele pudesse pelo menos ser considerado capaz de uma habilidade geral nelas. Por outro lado, ao servir a um senhor, se alguém vai muito além dos seus companheiros e desempenhou bem seus deveres à vista de todos, dizemos que ele serviu de modo a superar os outros. Acima de tudo, por ocasião de disputas em campo de batalha, pensar em avançar quando outros fazem o mesmo ou fazer alto juntamente com os outros não é nem impressionante nem louvável. Mas avançar onde seus compatriotas consideravam isso impossível, ou manter sua posição onde os outros não podiam parar, é próprio de um guerreiro valente, que superou os outros.

Além dessas coisas, é essencial para um homem que se esforça com todo o seu coração entender que é difícil até mesmo alcançar a média se ele não tiver a intenção de ir além dos outros em tudo que ele fizer.

O MOMENTO DA MORTE É IMPORTANTE PARA UM GUERREIRO

Para o homem que quer tornar-se um guerreiro, não importando a sua condição hierárquica, o que primeiro importa é considerar a qualidade do momento do seu final físico, quando seu tempo se esgota. Não importa o quanto um homem pareça ser inteligente ou hábil no falar, se, em seus momentos finais, fica tão apavorado que perde sua consciência ou de qualquer modo encara seu fim de modo deficiente, tendo todo o seu comportamento anterior como que transformado em água. Um homem assim será objeto do desprezo de pessoas de entendimento e isso será uma grande vergonha. Fazer frente ao campo de batalha de um guerreiro, realizar façanhas imbuídas de glória marcial e estabelecer uma reputação, tudo depende de ter assumido antecipadamente uma resolução absoluta de ser derrubado em campo de batalha. Com essa resolução, quando a sorte de alguém se torna ruim e a derrota chega, estando a cabeça dessa pessoa a ponto de ser cortada, se alguém perguntar-lhe seu nome ela responderá de maneira clara e completa, rindo friamente, e induzindo à sua decapitação ao mesmo tempo em que sua fisionomia não denota um mínimo sequer de receio. Por outro lado, mesmo quando alguém sofre um ferimento grave, para o qual não existe tratamento médico, enquanto ainda consciente falará com firmeza perante o seu grupo e comandantes de regimento assim como todos os seus companheiros, ignorando seu ferimento e indo ao encontro do seu fim como se esse fosse um acontecimento cotidiano. Essa atitude é fundamental para um guerreiro.

Em consequência disso, mesmo vivendo numa época de paz, quando um homem que considera bem o que significa ser um guerreiro – é claro que isso diz respeito aos velhos, mas também aos jovens – contrai uma doença grave, que não responde ao tratamento e piora pouco a pouco, terá estabelecido antecipadamente aquela mesma resolução e não manifestará a menor ansiedade no que diz respeito a este mundo. Naturalmente, isso é se suas responsabilidades tiverem sido grandes; mas, também, se tiver servido com tarefas fáceis, ele acenará ao seu grupo e comandantes de regimento quando sentir que não aguenta mais durante muito tempo mas que ainda é capaz de falar. Diante deles o guerreiro manifestará que, visto que por muitos anos ele recebeu a maior gentileza do seu senhor, quis ser útil de algum modo e, embora ele sempre tivesse isso em seu pensamento, agora contraiu essa grave doença. Mesmo que tenha se submetido a diversos tratamentos, parece difícil uma recuperação. Assim, ele vai morrer de doença sem ter sido absolutamente útil e, embora ele sinta nessa ocasião que isso é lamentável, isso parece ser inevitável. Ele também expressará sua gratidão pelas grandes bênçãos que recebeu até esse momento e, mesmo que afinal venha a morrer, dirá que quer que sua situação seja relatada aos anciãos do feudo e que sua obediência final seja também relatada ao seu senhor. Finalmente, ele irá referir-se a qualquer assunto particular que ainda reste para ser tratado. Isso é bastante razoável. Uma vez tendo realizado isso, quando o homem disser o adeus final aos parentes e amigos íntimos, chamará seus filhos a si e expressará o fato de que não é intenção de um guerreiro morrer de doença depois de ter recebido grande favor de seu senhor durante tantos anos. Ele vai explicar que, visto que esses tempos são de paz, isso é inevitável. E, embora eles ainda sejam jovens, dando continuidade às suas aspirações, estão absolutamente decididos a servir ao seu *daimyo* em face de um acontecimento inesperado. Assim, se esforçando continuamente em sua determinação de servir bem ao seu senhor e praticar atos de lealdade, não é provável que eles sejam negligentes no Caminho do Serviço. Também é correto para um guerreiro atribuir-lhes severa responsabilidade pelas palavras finais de alguém, dizendo-lhes que eles devem entender que se eles forem contra essas palavras finais de alguém nas suas últimas horas, se eles forem desleais e injustos, serão deserdados, mesmo que seja de dentro do túmulo. Havia um sábio chinês que dizia: "É bom aquilo que um homem diz na hora de sua morte"; e isso resulta em tal efeito.

A hora final de um guerreiro deverá ser algo parecido com isso. Entretanto, se alguém não estiver decidido diante da calamidade de uma doença incurável e brinca com a morte, alegrando-se quando as pessoas dizem que se trata apenas de uma doença sem gravidade, ou sentindo-se mal quando alguém diz que se trata de uma doença grave, queixando-se ao médico de maneiras diversas, e confundindo-se ao ponto de proferir preces e súplicas inúteis, não estando nem decidido a morrer nem tendo nada para dizer embora a doença piore gradualmente – tudo isso é o mesmo que um cão ou gato morrendo de doença; e um homem irá assim prejudicar as horas finais da única vida que tem. Uma pessoa assim não manteve a morte constantemente no pensamento, como se requer no começo deste livro, mas, ouvindo falar sobre a morte de outra pessoa, acha isso simplesmente perturbador e pensa que ele mesmo deveria estar neste mundo para sempre; assim, sua própria morte será impregnada de uma ânsia profunda de viver.

Digamos que uma pessoa, nesses tempos de paz, seja atacada por uma doença grave, inicie diversos tratamentos que não surtem efeito e, embora seja gradualmente pressionado pela doença, não tome a resolução de morrer. Com uma disposição assim tão covarde, como poderia esse homem fazer face ao campo de batalha e encontrar-se com um inimigo que não lhe inspira qualquer rancor? Nem poderia ele ser derrotado com glória no campo de batalha tendo apenas o pensamento de não carecer de justiça. Assim, para um homem que está sempre consciente do que significa ser um guerreiro, morrer na cama de doença pode significar um acontecimento importante, exclusivo, na única vida que possuímos.

Assim como foi colocado, não importando seu lugar na hierarquia, o guerreiro de hoje que tem um *daimyo* serve-o e coloca sua vida à disposição mesmo quando o país está em paz. Isso não é um assunto de uma geração ou da geração dos pais de alguém, ou mesmo um assunto de décadas. Não faz parte do Caminho do Guerreiro morrer de doença numa cama enquanto paga o excessivo tributo tão generosamente concedido, entregando as últimas palavras de alguém aos seus descendentes e carecendo até mesmo da consideração de oferecer a obediência obrigatória final ao senhor que mostrou um tão grande favor. Somente um homem que não merece o nome de guerreiro irá, ao invés de dar atenção às horas finais de alguém, apenas chamar seu grupo ou comandantes de seção a fim de garantir a sucessão de sua própria linhagem. Essas coisas são extremamente lamentáveis, e não formam a conduta correta de um guerreiro.

Quando um pássaro está à beira da morte, seu canto será de lamento; quando um homem está à beira da morte, suas palavras serão boas. (Analectas, 8:4 • Confúcio)

INSTRUÇÃO E REFINAMENTO TAMBÉM PODEM SER OCASIONALMENTE RAZÃO DE GRANDE PREJUÍZO

No Caminho do Guerreiro é natural que uma constituição vigorosa seja considerada acima de tudo. Mas quando alguém é rústico e tem apenas vigor, esse alguém vai parecer nascido de agricultores, com a aparência de um camponês grosseiro, e esse não é o modo como as coisas deveriam ser. Embora coisas tais como o conhecimento acadêmico, o estudo da poesia e a cerimônia do chá não sejam consideradas como artes marciais, é desejável que se tenha um conhecimento delas.

Em primeiro lugar, se alguém não estudou, não será capaz de entender a antiga e a moderna literatura como deveria. Assim, não importa quanto conhecimento mundano ele possa ter, ou o quanto possa ser inteligente, será difícil fazer julgamento do certo e do errado de acordo com cada situação em particular. Com um profundo e detalhado conhecimento de países estrangeiros e do seu próprio e com cuidadosa consideração dos três fatores do tempo, lugar e posição desses países, se alguém segue o bem que conhece e regula suas atividades de acordo com isso, não ficará em apuros. Entretanto, quando a atitude de alguém é incorreta e a pessoa prossegue insistentemente no seu erro, de um modo geral vai tornar-se orgulhoso e desrespeitar homens não letrados, não importando se eles forem guerreiros bons e determinados. Além disso, mesmo quando há motivo para acreditar seriamente que apenas os "caminhos" chineses sejam bons, é de fato uma situação perversa insistir unilateralmente em alguma coisa sem discernir sua utilidade para o nosso país nessa ocasião. Falando especificamente, a numerosa nobreza e homens famosos no passado do Japão não foram homens de recursos e entendimento superficial. Assim, eles aprendiam detalhadamente não apenas assuntos chineses, mas também outros, de além das Índias. Enviando homens diretamente a esses países, eles acrescentavam esforço e entendimento ao que eles observavam. Então as mais de 66 províncias do Japão eram governadas por um único rei. As três joias sagradas eram especialmente transmitidas em sucessão; as famílias das cinco linhagens de regentes estavam estabelecidas e, além disso, a diferença entre nobreza e plebe estava claramente definida. Todas essas práticas eram limitadas ao Japão. E não apenas isso, mas era dada atenção a todo tipo de coisas: a aparência de homens e mulheres, a elaboração de seus trajes e casas e até a produção de utensílios e outros equipamentos. Falando de um modo geral, eles seguiam práticas de países estrangeiros ao mesmo tempo em que mudavam a aparência de todas aquelas práticas. Visto que todos os costumes da China e do Japão eram mantidos de um modo diferente, até um homem sem discernimento, como eu mesmo, pode supor que isso estava de acordo com o eterno, imutável Caminho dos deuses.

Os jovens guerreiros de hoje, entretanto, continuam empenhados no erro. Eles pensam que não existe nada de superior aos costumes chineses e desprezam os do Japão, a terra do seu nascimento e dos seus ancestrais. Homens assim são muito inferiores àqueles que, na sua ignorância, sentem profundamente que o *Caminho do Bushido* consiste apenas no vigor. De um ponto de vista intelectual, as pessoas são muito rigorosas nesse assunto. Além disso, o estudo da poesia como um costume no nosso país tem sido praticado – bastante naturalmente – pela nobreza, mas também pela classe guerreira. Tanto no passado quanto no presente existiram muitos generais famosos e bravos guerreiros que foram homens perfeitos no *Caminho da Poesia*. Assim, é desejável até para guerreiros de escalões mais baixos participar desse estudo e compor um versinho ou dois, de vez em quando.

Porém, quando alguém entra no seu estudo da poesia de modo errado e passa a gostar dele em demasia, sentirá que deve ler poemas difíceis escritos pelos mestres do passado e do presente e, assim, negligenciará todas as outras atividades e considerará a poesia como a sua mais elevada busca, tornando-se mole em espírito e aparência num piscar de olhos, e será considerado como um samurai incapaz, que perdeu os costumes do guerreiro. Principalmente quando alguém se apaixona em demasia pelo *haikai*[7], que é tão popular hoje em dia, está apto para fazer trocadilhos, versos espirituosos e frases curiosas, até mesmo quando conversa com seus discretos companheiros. Embora aqueles que estiverem presentes no momento possam divertir-se, ditos espirituosos e trocadilhos não são geralmente coisas elogiadas pelos guerreiros do passado e do presente, e é essencial que haja discrição nesse assunto.

Quanto à cerimônia do chá, visto que ela tem sido um divertimento da classe guerreira desde os dias de shogunato de Kyoto, mesmo alguém que não a coloca em prática provavelmente se verá envolvido nela em variadas ocasiões, quer convidado por um colega, quer em companhia da alta nobreza. Nessas ocasiões, existem muitos meios sobre como aproximar-se e entrar numa casa de chá, como apreciar os diversos utensílios, como compartilhar as bebidas e como tomar o chá. Assim, alguém deverá procurar um professor do Caminho do Chá e chegar a algum entendimento acerca disso. A casa de chá é um lugar onde se deve evitar a riqueza e opulência do mundo, e deve ser uma área de solidão e tranquilidade.

Assim, não importa o quanto o lugar seja solene e bem-sucedido; devem ser plantadas árvores no jardim, dando-lhe um ar natural; deve-se considerar próprio equipar a casa de chá com coisas tais como vigas de bambu, pilares conservando a casca da madeira, beirais de palha, uma janela com fundamentos de madeira, persianas rústicas de vime, um portão dando para o centro do jardim e uma porta feita de ramos rústicos.

---

7. Haikai ou Haicai é uma forma de poesia japonesa surgida no séc. XVI e ainda hoje em voga, composta de três versos, com cinco, sete e cinco sílabas, que geralmente tem como tema a natureza ou as estações do ano.

Os utensílios para o chá e as bebidas que o acompanham devem ser modestos e os modos vulgares, mundanos, devem ser repelidos e evitados. A riqueza da tranquilidade deve ser seriamente abraçada; assim, se pensa que essa cerimônia está de acordo com o *Bushido* e o reforça. Sendo este o caso, até mesmo um guerreiro de baixa categoria não deve negligenciar a construção de um lugar para o chá ao lado de sua residência, praticando a cerimônia do chá com um gosto tranquilo e equipado com itens tais como um pergaminho recentemente escrito, uma vasilha de chá que saiu do fogo há pouco, uma tigela de chá e um bule de chá de cerâmica. Em tudo, porém, coisas insignificantes se tornam importantes para uma pessoa; e pouco a pouco uma pessoa começa a orgulhar-se dessas coisas. Ao ver o bule famoso que outra pessoa tem, o bule de cerâmica que alguém possui pode tornar-se repugnante a seus olhos, e gradualmente haverá apenas desejos por artigos finos para todos os seus utensílios. Ao querer coisas assim, um guerreiro de baixo escalão vai descobrir que coisas finas não podem ser facilmente adquiridas; a partir de então ocorre uma mudança. Ele concentra seu pensamento na procura dessas coisas, aprende a apreciá-las, e dirige seu pensamento para a aquisição delas. Por outro lado, se ele encontra entre os utensílios de outrem alguma coisa que impressiona seu olho, ele pode levar a sério seu desejo por aquilo.

Ainda com relação aos utensílios, alguém poderá pensar somente em obtê-los e ao mesmo tempo evitar qualquer perda. Assim, tendo um caráter com a mesma aparência de um corretor, ele irá inevitavelmente perder a correção do *Bushido*, tornando-se um homem de caráter relativamente pobre. Antes que tornar-se um homem assim superficial, é melhor não ter qualquer conhecimento do *Caminho do Chá* e ser grosseiro até o ponto de não saber como erguer a xícara de chá. Isto não seria nenhum impedimento para o *Bushido*.

LIVRO II

Entre homens que trabalham juntos e não possuem impedimentos, não há desculpa para que as relações não sejam amigáveis e recíprocas.

NÃO MISTURE SENTIMENTOS PESSOAIS COM DEVERES

Para um samurai em serviço, entre seus muitos colegas é provável que exista algum com quem cortou relações, por algum motivo ou outro. Se, no entanto, o guerreiro é ordenado por seu *daimyo* para servir com o mesmo posto com essa pessoa, deve imediatamente ir e explicar que foi oficialmente ordenado a trabalhar com ele e aceitou a ordem. Sendo assim, não seria em benefício do senhor se os seus sentimentos pessoais entrassem em conflito com seu trabalho, mesmo que do tamanho de um fio de cabelo. Ele deve dizer que não haverá distância entre eles que obstrua o trabalho para com o senhor deles. Se o outro é mais velho na posição, deve pedir que ele o instrua. Até que a um dos dois seja dado um trabalho diferente posteriormente, e assim a relação entre ambos seja rompida, até aquele momento eles devem concordar trabalhar em conjunto e em harmonia com uma mente. Esta é a maneira de um samurai.

Entre homens que trabalham juntos e não possuem impedimentos, não há desculpa para que as relações não sejam amigáveis e recíprocas. E aqueles que lutam pelo poder, no entanto, devem agir de forma adulta e orientar bem os recém-chegados, ao invés de se deliciar com uma falha destes. Esta é uma distorção do *Bushido* e deve ser vista como sórdida e suja.

Ao enfrentar tempos de violência, um guerreiro com tal disposição é um covarde altamente imoral que debandará para o inimigo e trairá seus próprios aliados. Este é um assunto sério a ser considerado.

MÃOS VELHAS E VESTUÁRIO BRANCOS SUJOS

O ditado de que "vestes brancas e funcionários são melhores quando novos" não é particularmente profundo, mas diz muito sobre o ssunto. Quando uma peça de roupa branca está nova, é muito bonita, mas, quando se usa por algum tempo em primeiro lugar o pescoço e punhos ficam sujos, e muito em breve toda a roupa fica cinza e sem graça. Quando um funcionário ligado a algum assunto é novo, é ingênuo em todas as coisas, dá grande importância aos comandos do seu senhor, e trata até mesmo coisas triviais como grandes negócios.

Ele é especialmente consciente de sua promessa, zeloso de seus deveres e é prudente e temeroso de virar as costas para qualquer um deles. Desta forma, não há nada faltando em nada do que ele está envolvido. Mas mesmo um homem como este, a quem todos os vassalos louvavam como funcionário altruísta e honesto, depois de trabalhar muito tempo e aprender todas os meandros de suas funções, irá gradualmente tornar-se indiferente e descuidado, como nunca teria sido quando era novo. Não só isso. Quando um homem é novo em seu trabalho, segue as disposições que proíbem presentes e elogios e, se recebidos, envia-os de volta com tato. Se surgir uma situação em que absolutamente deve receber presentes, envia alguma retribuição apropriada no dia seguinte. No entanto, mesmo um homem que exerce as suas funções com tanta graça e recebe elogios de todo mundo começa a perder seu senso de discernimento antes de se aperceber disso. Enquanto trabalha em sua funções, a ganância e o apego começam a crescer em seu coração, mesmo que seja pouco a pouco. Em seu íntimo ele sabe que existem regulamentos que proíbem o recebimento de presentes e por isso é difícil recebê-los abertamente. Mas, como tudo isso está escrito em seu rosto, juntamente com as dicas nas bordas de suas palavras, as pessoas serão inteligentes o suficiente para entender. E, apesar de usar uma expressão de ignorância, elas tentarão contatá-lo em segredo, ou, conseguindo a assistência ilícita, vão enviar-lhe presentes, usando vários métodos. Não importa o quanto o guerreiro recebe e ilude os outros funcionários através dos retorno de presentes, e, portanto, sua parcialidade e favoritismo são manchados dessa forma: é o mesmo que quando uma peça de roupa branca fica cinza. No entanto, a solução não é simplesmente jogar fora a peça de roupa quando ela fica suja, mas limpá-la de tempos em tempos, tornar-se branco novamente e não ficar manchado. Um funcionário também deve perceber que o seu coração se tornou um pouco manchado. É razoável que ele o faça, para limpar-se e retornar a um estado imaculado.

Uma peça de vestuário, no entanto, ficará manchada devido à sujeira natural do corpo humano, a poeira e a sujeira do mundo; e, se alguém limpá-la com um pouco de sabão, as manchas e sujeira cairão e a capa será limpa novamente. Agora, como há muitas e variadas coisas que permeiam o coração humano e mancham-no profundamente, nada será capaz de torná-lo puro novamente, basta dar-lhe uma boa limpeza. Além disso, pode-se alvejar uma peça de roupa branca apenas uma ou duas vezes por ano, mas a limpeza da mente de um homem deve ter lugar 24 horas por dia, seja indo ou vindo, sentado ou deitado, não importa em que circunstâncias. Assim, cada vez que alguém usa a sua mente, mesmo que se purifique e limpe sem a menor culpa, é provável que alguma mancha se mantenha.

Há várias maneiras de limpar os vários tipos de manchas, e este não está limitado a lavagem de peças de vestuário. Além disso, existem substâncias que removem manchas por completo.

Da mesma forma, existem três agentes para limpar a mente de um guerreiro: lealdade, justiça e coragem. Dependendo de como o coração foi manchado, lealdade pode purificá-lo. A justiça pode purificar o coração do homem também. Um segredo: se as manchas permanecerem firmes num só coração, mesmo depois de limpá-lo com lealdade e justiça, basta adicionar um pouco de coragem e usar até a última gota de sua força. Em seguida, ficará absolutamente refrescante e limpa.

Este é o segredo transmitido de boca em boca sobre a purificação do coração de um guerreiro.

DISTINÇÕES NAS RELAÇÕES FAMILIARES

Aqueles nesse mundo que se referem aos filhos de seus irmãos mais velhos, os filhos de seus irmãos mais novos, e os filhos de suas irmãs que se casaram em outras famílias todos como "sobrinhos", sem distinção, são moradores da cidade e os agricultores. Mas um samurai deve agir com a cortesia da linhagem em seu coração, e sem confundir a etiqueta da boa forma. Assim, ele é diferente das outras três classes.

Por exemplo, o filho de um irmão mais velho é o herdeiro legítimo da família e dará continuidade à principal linhagem; apesar de ele ser um dos muitos "sobrinhos", é ele quem vai levar o nome da família de seu pai e irmão mais velho. No caso de um irmão mais velho morrer e seu filho tornar-se o chefe da família, pode-se mostrar-lhe a mesma cortesia como ele fez com seu pai e irmão mais velho. Isto é feito não por respeito a seu status como sobrinho, mas simplesmente para mostrar respeito pelos antepassados da linhagem principal de uma família. Quanto aos segundo e terceiro filhos de um irmão mais velho, ou os filhos de os irmãos mais jovens, pode-se lidar com eles segundo as relações tio-sobrinho habituais. É natural, no entanto, que os filhos das irmãs, embora também sejam "sobrinhos", sejam tratados com um pouco mais de reserva e respeito do que o habitual, tanto na fala como na escrita, porque são sobrinhos que receberam outro nome de família.

Além disso, deve-se entender que, se um sobrinho, irmão mais novo ou até mesmo o próprio filho foi adotado por outra família, ele deve em absoluto ser tratado como uma pessoa independente. Dificilmente se poderia usar as expressões faladas quando a família está reunida, por exemplo, mas sim a uma saudação reservados a uma pessoa de fora. Se continuar a tratar seu filho ou irmão mais novo da maneira usual, mesmo depois de sua adoção por outra família, o pai, a família e os vassalos da família estarão suscetíveis a preencher seus corações com desprezo, perguntando-se se, no fundo, prefeririam mantê-lo na sua família. No entanto, se os parentes do pai adotivos forem instáveis e sua manutenção difícil, não será fácil desistir de filho de um ou irmão mais novo. Essas coisas acontecem.

Em seguida, pode haver um caso em que uma filha é casada e perde o pai da criança após o nascimento, deixando o menino como herdeiro e na posição de sucessor. É essencial compreender que, em tal situação, ao discutir qualquer assunto com os pais do falecido marido, de cada dez questões, oito a nove sejam decididas por eles. Se as finanças da casa foram perturbadas a partir do momento que o marido estava vivo, e parecia que eles seriam um fardo para todos os seus parentes, seria, no final, razoável averiguar os problemas da sua filha e, em seguida, fazer o que fosse necessário para ajudá-la. Se após a morte do marido, porém, não parecia haver nenhum problema e a família tinha alguma propriedade, deve ser resolvido, para não parecer como um intrometido, pelo sogro. Esta é também a justiça de um samurai. Uma certeza de ser criticado por outros como sendo nada razoável que ele tenha conversas privadas com sua filha, enquanto o filho dela ainda é jovem (agindo assim como um guardião).

Finalmente, há momentos em que a casa de uma família principal, uma certa linhagem ou o mestre entre em declínio e cai sem deixar vestígios. É a verdadeira intenção de um guerreiro nunca tratar as pessoas envolvidas mal, e sim restabelecer a linha original, e periodicamente mostrar interesse e simpatia para com os seus problemas.

Olhar para as circunstâncias de um homem e respeitá-lo se ele parecer próspero, mesmo que ele não mereça respeito, ou para prender um homem por desacato se ele estiver em declínio, mesmo que ele não seja uma pessoa desprezível, é da natureza do povo da cidade e os agricultores. Não é a justiça de um samurai.

DIFAMAÇÃO DE UM SENHOR ANTERIOR

Como samurai de um *han*[8], pode-se ter a intenção de continuar servindo por gerações, mas algo acontece e o guerreiro se separa do antigo *daimyo*. Em seguida, recebe a ajuda de um outro senhor e começa a servi-lo, com bastante facilidade, se não houver algum desacordo entre ele e seu ex-senhor; mas também, mesmo se houvesse algum problema o samurai deveria desculpar-se e sair. Este é o decoro dos clãs marciais do passado e do presente. Se, por essas razões, um guerreiro torna-se um vassalo de outro senhor e cresce no novo *han*, tornando-se conhecido e familiarizando-se como samurai sênior, ao encontrar-se em conversa íntima com eles nunca deve caluniar o *han* de seu ex-senhor, mesmo que seja em tom de brincadeira.

Carregar esta regra em seu coração é a realização principal de um guerreiro. A razão para isso é que o mundo é grande e, nascendo como um guerreiro japonês, certamente irá receber as bênçãos de uma dos

8. *Han – denominação dada aos antigos feudos do Japão, que foram extintos em 1871, logo após a reforma Meiji.*

maiores ou menores senhores nos quatro cantos do país. Poderia ter crescido dentro do *han* e feito a promessa de vassalagem formalmente ao seu senhor, mesmo que por certo tempo.

Se alguém entende essa linha de raciocínio, não deveria caluniar, mesmo em tom de brincadeira, um homem a quem ele reconhecia como *daimyo* mesmo que por apenas um dia. Pode ser que cada lacaio e servo faltem com o juramento, falar que conhece a vida do ex-senhor e caluniá-lo a respeito de um assunto sobre o qual a sociedade não sabe de nada, e para expor todos os tipos de contos. Mesmo que um homem tenha cometido algum ato de improbidade e seja punido publicamente, não se deve caluniá-lo se ele for um ex-senhor. E, mesmo se alguém perguntar, tentando fazer revelar algo sobre o assunto, é correto que um samurai não se pronuncie sobre isso.

REGRAS PARA O GUARDIÃO

Nas batalhas que ocorreram durante o período da Guerra Civil em nosso país, um samurai que realizasse grandes feitos podia ser morto em combate ou morrer recebendo muitos ferimentos dos quais nunca se recuperaria. Os *daimyos* e generais sentiam grande simpatia por esses homens e, se tivessem filhos, mesmo com menos de um ano de idade, seriam tomadas medidas para que herdassem o posto e pagamento do falecido pai. Se a criança ainda não estivesse em idade de servir no campo de batalha, o *daimyo* poderia pedir a um dos irmãos mais novos do falecido pai que assumisse o comando temporário da propriedade de seu irmão mais velho e atuar como tutor para o filho enquanto a criança ainda fosse menor de idade. Tal posição foi chamada Jindai.

Existem regras antigas para o guerreiro que assume tal responsabilidade. Porque esta é uma questão da sucessão de herdeiros de um irmão mais velho, é natural que a criança deva ser vista como seu próprio filho, mesmo que seja na realidade o sobrinho do tutor. O jovem deve ser tratado com simpatia verdadeira e receber uma boa educação. Além disso, como o responsável deve tomar conta da herança de seu irmão, deve reunir não apenas o arsenal e arreios dos cavalos, mas todos os outros bens em um só lugar e selecionar alguém da família para examinar cuidadosamente a propriedade e fazer o inventário das posses.

Agora, quando a criança chega com segurança à idade de 15 anos, é apropriado que o guardião apresente os documentos para o senhor, dando-lhe um relato claro da situação e explicando que o jovem completará 16 no ano seguinte e, ao mesmo tempo, que agora deve ser preparado para ser um bom guerreiro. Ele também vai explicar que, como guardião, agora quer entregar a bolsa pela qual havia sido responsável até este momento ao herdeiro legítimo, na esperança de que ele prestará bons serviços ao senhor.

Naquele tempo, dependendo do senhor, os pedidos da guarda poderiam ser considerados encerrados, mas ele também poderia pedir que continuassem por mais dois ou três anos, devido à juventude do herdeiro. Por mais que esse pedido fosse relevante, o guardião poderia recusar, independentemente da gravidade da ordem do senhor. Mas, quando o pedido fosse aceito, o tutor deveria entregar todos os bens de seu irmão que consta no inventário. Isso não era limitado às posses antes de ser declarado tutor, e sim a tudo que havia sido gerenciado durante esse tempo, que deveria ser anotado e entregue ao herdeiro.

Um tutor poderia ser colocado no comando de uma propriedade de 500 kokus[9], por exemplo, e o *daimyo* entregaria ao herdeiro 300 kokus desse montante e o guardião ganharia os 200 kokus restantes, tendo em conta os anos de tutela. Para o guardião esse acordo seria muito bom, mas poderia trazer dificuldades para casa principal da família em assegurar que as posses de seu irmão sejam proferidas para o herdeiro legítimo, e que ele receba o cargo de guardião permanentemente.

Essas são as verdadeiras intenções de um samurai que é chamado de tutor.

Um verdadeiro samurai que é chamado de tutor não tem a intenção de reter a herança de um sobrinho que atingiu a idade de servir em sua primeira batalha, entregar a casa sem repará-la enquanto era responsável, deixar as contas que seu irmão não pagou, fazer empréstimos e não pagar as dívidas, ou ficar importunando seu jovem sobrinho pelo subsídio de arroz

O ESPÍRITO DE "EMBORA UM GUERREIRO NÃO COMA ..."

Até 50 ou 60 anos atrás, quando muitos *ronins* estavam se espalhando em todo o mundo, dizendo "Eu preciso ser capaz de ter, pelo menos, dois cavalos ...",

9. Koku – unidade de volume no Japão; 3,6 kokus equivalem a 1 metro cúbico – tradicionalmente se considerava que 1 koku era medida de arroz que alimentava uma pessoa por um ano.

o que quiseram dizer foi: "Devo ter uma bolsa de mais de 500 kokus". Quando eles disseram algo como "Se eu pudesse ter pelo menos um pangaré magro ...", o que quiseram dizer foi: "Se eu pudesse ter, pelo menos, 300 kokus...". Finalmente, se alguém dissesse "Se ele deixar-me levar uma lança enferrujada...", o que ele queria dizer era: "Se eu pudesse receber um salário, mesmo de 100 kokus...".

Até esse período, os velhos costumes dos guerreiros permaneceram, e essas palavras vieram da disposição de não querer falar em números definitivos da própria boca sobre quantas centenas de kokus cada um iria ganhar ao cair no mundo. "Mesmo quando um samurai não come, vai usar um palito" e "Um falcão não vai pegar um grão, mesmo quando morrendo de fome" também são ditos desse período. Um jovem samurai não falava de suas próprias perdas e ganhos pessoais, nem sobre valores. Quando ouviam falar de mulheres e sexo, ficavam ruborizados. Os homens que queriam se tornar samurais de verdade ansiavam segundo o espírito dos velhos guerreiros e queriam aprender a ser como eles, mesmo que isso estivesse além de suas capacidades. Suas vidas corriam à custa do orgulho.

FRUGALIDADE TAMBÉM É PARA O BEM DO SERVIÇO

É essencial que um guerreiro a serviço de um senhor seja sempre frugal, independentemente de sua posição, e empregue uma boa dose de julgamento ao não usar as finanças da família. Mesmo se um guerreiro gastar seu salário em algo inútil e empenhar suas finanças de uma vez, reparará suas finanças rapidamente se mudar sua maneira de pensar, economizar aqui, reduzir gastos lá e prestar muita atenção a tudo e viver com simplicidade, criando uma poupança extra. Quando um homem de posição humilde imita aqueles nos cargos mais elevados, colocando seus recursos em coisas inúteis e prejudicando suas finanças, já que ele não tem dinheiro guardado, suas economias entram em constante declínio. Assim, não importa o quanto ele tentar economizar, será inútil. Continuando a agir dessa forma, o guerreiro vai usar as suas finanças até ficar num impasse. Isto é inevitável.

Além disso, as pessoas devem manter as circunstâncias financeiras de sua casa em segredo. Por outro lado, como um homem empregado, o samurai deve estar no mesmo nível de seus companheiros, e assim, inevitavelmente, terá que fazer gastos. Em tal situação, se não há mais nada a ser feito, o homem vai gastar sua sagacidade em vários artifícios, dizendo coisas que não deveria dizer, fazendo coisas que não deveria fazer e ganhando uma reputação como um homem mentiroso e sem vergonha. Isso e a ocorrência de boatos ultrajantes estão nas falhas finais decorrentes de uma má gestão de suas finanças.

Dessa forma, um guerreiro de posição humilde deve ser resolvido em relação a isso desde o início, vivendo de acordo com suas finanças e cuidando para não fazer gastos com coisas inúteis, e sim apenas em coisas que ele deve. Esta é a maneira de frugalidade.

Há, porém, algo a que se deve prestar atenção sobre a frugalidade. Quando os homens, não importando sua hierarquia deixam de pensar frugalmente e começam a invejar aqueles que gastam muito, tentam reduzir seu custo de vida para juntar mais dinheiro esperando que, com isso, possam ter um alto padrão de vida. Quanto mais ajuntam o dinheiro (que anteriormente não possuíam), mais felizes ficam e na mesma medida ficam tristes quando esse dinheiro passa de suas mãos.

O tempo passa e, com esses corações surrados, eles, sem a mínima consideração, não fazem as coisas que devem fazer, apenas pensando em acumular dinheiro.

Isso é conhecido como mesquinharia. Esse tipo de comportamento entre os agricultores e os comerciantes é uma coisa, mas um guerreiro avarento é completamente inútil e deve ser desprezado, pois esses tipos querem mais guardar dinheiro do que observar seu sentido de dever. Assim, como eles serão capazes de não seguir o começo de uma vida irrecuperável?

Este é o entendimento sobre a frugalidade.

BELA FACHADA, MAS QUARTOS SIMPLES

Quando um samurai em serviço tem uma casa dada ou construída para ele por seu senhor, é provável que a aparência da porta exterior, da entrada e do aspecto da sala de estar formal sejam esplêndidas, ainda de acordo com a posição social. Isto ocorre porque, em qualquer local do castelo, mesmo para as casas de samurais que vivem fora do recinto do castelo, quando os quartos de todos os samurais têm uma aparência agradável para os visitantes ou estrangeiros que passam, o lugar em si vai parecer próspero e todos os vassalos estabelecidos. Isto é também benéfico para o futuro, sendo sensato não gastar exorbitantemente na área onde a esposa e as crianças vão ficar. Mas não se deve ser mesquinho a ponto de reclamar quando as chuvas chegam. Durante o período das Guerras Civis, mesmo os *daimyos* – que eram senhores de castelos – constantemente vivam sob cerco. Por conseguinte, havia regulamentos definindo o tamanho das casas de baixo e a área entre as vigas estreitas. As despesas com construção deveriam ser leves, mesmo para as residências ligadas às cidadelas secundárias e terciárias. O que dizer então das casas de samurais nas áreas mais periféricas? Confrontado com os eventos adversos que poderiam destruir suas casas, eram construídas para serem breves, econômicas.

Sabendo disso, é difícil dizer se para um samurai é algo positivo estar estabelecido em vez de ser um guerreiro itinerante, mesmo nos tempos atuais de paz, quando o próprio define o comprimento e a largura das coisas de sua preferência na construção de sua casa, adicionando um excesso de materiais, pensando que vai viver naquele lugar para sempre.

Além disso, quando se experimenta algo como um desastre inesperado pelo fogo, há dificuldades em deixar os restos de uma residência vazia, mesmo por um curto período de tempo, e, portanto, é imprescindível construir rapidamente um abrigo ou uma pequena cabana. Quando um homem gosta de usar material de construção em excesso e depois fica profundamente endividado por isso, pode-se dizer que ele se comporta inadequadamente.

COMPANHEIROS DE JOGO SÃO DESNECESSÁRIOS

É essencial para um guerreiro que está servindo como vasssalo, tanto em privado como em público, ter convívio com aqueles entre seus muitos camaradas que são corajosos, cumpridores do dever, honrados, sábios, sensatos e influentes. Esses guerreiros são poucos dentre os muitos colegas no *han*, mas mesmo um ou dois desses homens são mais que suficientes, sendo confiáveis em qualquer situação. De modo geral, os guerreiros não devem escolher seus amigos de seu círculo de intimidade, principalmente aquele a quem está acostumado a encontrar para sair e beber. A razão para isso é que a intimidade no relacionamento de guerreiros deve haver cordialidade e uma averiguação mútua de uns aos outros de disposições durante um período de muitos dias. Mas quando se encontram e respondem de forma muito fácil e gratuitamente, dizendo coisas como "Ei, isso é interessante!" ou "Que amigo!" não é a maneira pela qual se trata um outro guerreiro. A maneira correta de se comportar em um relacionamento de guerreiros não é de forma extremamente rude e grosseira, caindo uns sobre os outros em todas as baladas noite adentro, com cantores e músicas. Muitas vezes, quando os homens pensam que está tudo bem e chamam um ao outro "amigo" e "companheiro", acabam agindo com violência sobre algum assunto pequeno e a relação é rompida, sem haver ninguém para corrigir essa atitude. No final, nem o homem tem clara disposição para renovar a amizade.

Embora a aparência exterior de tais homens seja de guerreiros, a mente acaba parecendo ser a mesma de agricultores e carregadores. Deve-se ter um sentimento de vergonha e prudência.

É VERGONHOSO NÃO CONHECER A HISTÓRIA DO CLÃ

É recomendado que um guerreiro em serviço tenha um conhecimento profundo e detalhado da origem do *han* (clã feudal) do seu senhor, os fatos relacionados às gerações de antepassados do *han* e as histórias de todas as relações lineares ao *daimyo*. O guerreiro também deve conhecer a fundo os vassalos da família que são famosos em toda a área. Isto já é esperado dos homens que têm servido há muito tempo, mas também se aplica aos recém-chegados.

A razão do conhecimento é que pode ocorrer do guerreiro estar sentado conversando com um homem de outro *han* e ser questionado a respeito de seu próprio senhor. Se ele não tiver nem compreensão nem conhecimento do assunto, será visto como um homem um tanto superficial, quando na verdade poderia ser um vassalo muito competente.

FANFARRÕES, NÃO MALDIZENTES

Entre as tradições orais dos samurais veteranos, era dito que um jovem que estivesse se esforçando para ser um verdadeiro guerreiro precisava entender que não se deve falar mal dos provincianos, dos senhores e médicos no mundo. Isso ocorre porque, embora o próprio não se encontre com o envolvido, um de seus parentes ou conterrâneos pode procurar emprego no domínio do senhor que o jovem criticou. Em tal momento, as pessoas que sabem do ocorrido com o *daimyo* podem se perguntar como foi permitido que os parentes do difamador procurassem emprego com o guerreiro. Seu desprezo será inevitável.

Além disso, embora o difamador não envie os de sua própria casa para o médico de quem falou mal, um amigo ou parente pode adoecer gravemente e depois ser curado totalmente através de tratamento com esse mesmo médico. Nessa situação, o jovem teria que agradecer ao médico com grande pompa e cortesia por ter curado o doente.

Essas coisas acontecem e deve-se estar atento a elas. Lembrando isso, provavelmente haverá bem pouco a se lamentar em sua vida. Há pessoas, no entanto, que têm pouca compreensão deste princípio, fazendo profundos julgamentos sobre eventos, tagarelando sobre qualquer coisa que vem à mente e, sem quaisquer reservas ou pensamentos sobre o que pode acontecer depois, espalham rumores sobre pessoas que não têm nada a dizer. Elas vão inclusive contar as más ações de pessoas com as quais elas não têm absolutamente nenhuma conexão. Essas pessoas se tornam bem conhecidas como caluniadores e fabricantes de escândalos, e no final o seu fracasso é devido à falta de um exame minucioso e compreensão do *Bushido*.

Agora, se um homem descobriu que alguém estava falando mal dele, poderia reagir de maneira irracional a ação e, possivelmente, o resultado seria algum tipo de rancor, e provavelmente consideraria um homem que fala mal pelas costas não como um samurai, e sim um pobre e insolente. Além disso, não importa o quanto isso é considerado simplesmente "maledicência"; pode haver momentos, de acordo com as circunstâncias, quando a pessoa não pode simplesmente deixar o que foi dito passar. Embora se possa tentar esquecer e ignorar tal fofoca, é certo que ela vai permanecer muito tempo em seu coração e lhe trazer pensamentos rancorosos.

Quando alguém está se sentindo assim, não importa o quanto outro está falando dele, é melhor entender que simplórios indignos de pensamento ou culpa são as únicas pessoas que se dedicam a esse comportamento.

Neste contexto, deve-se entender que, apesar de um fanfarrão e um caluniador se parecerem, eles são muito diferentes.

Entre os guerreiros de muito tempo atrás, muitos tinham reputação de fanfarrões. Entre os principais vassalos do Shogun, homens como Matsudaira Kagaemon e Okubo Hikozaemon eram grandes fanfarrões e, naqueles tempos, havia pelo menos de três a cinco samurais que eram considerados fanfarrões nos clãs de todos os senhores provinciais. Aqueles que foram chamados fanfarrões então tinham se distinguido pelo menos um número de vezes em atos meritórios marciais e foram incomparáveis nos caminhos do *Bushido*. No entanto, por serem propensos à falta de compreensão de seus próprios tempos específicos e possuírem certa teimosia, eles ficaram sem pessoas para conversar. Apesar de terem reputação como guerreiros, não receberam feudos ou posições e, considerando isso injusto, tornaram-se distorcidos e preconceituosos, falando o que queriam, independentemente de quem estava ouvindo. No entanto, o *daimyo* e os principais vassalos e anciãos do *han* começaram a tratar estes homens como exceções e superdimensionavam essas coisas. Assim, suas atitudes tornaram-se cada vez mais intencionais, perderam todas as maneiras e reservas, falavam sobre o bem e o mal dos outros segundo seus corações, e passaram o resto de suas vidas como fanfarrões.

Quando esses samurais eram jovens, realizaram façanhas militares que os homens comuns não poderiam realizar, tinham confiança em suas próprias habilidades e se gabavam de acordo com elas.

Hoje, com o mundo em paz, não importa o quão valente alguém pode nascer, não há lugar para estabelecer os seus méritos e, portanto, uma reputação. Assim, sem a experiência de vestir uma armadura pelo menos uma vez, os homens sentam-se com seus comparsas e falam sobre as falhas do *han*, de seu *daimyo*, criticam os mais velhos e funcionários de alto cargo e com toda sua fibra vão falar de seus associados, pensando serem muito inteligentes, quando na verdade não passam de insensatos. A diferença entre eles e os fanfarrões de há muito tempo é o mesmo que entre o dia e a noite ou preto e branco. Esses de hoje poderíamos chamar de caluniadores e imbecis.

CONTRADIÇÃO E A LISONJA SÃO INSUFICIÊNCIA DE BRAVURA

Haverá momentos em que um samurai que serve um senhor estará de plantão perto de seu mestre e será convidado a expor sua opinião a respeito de suas próprias funções ou outras questões externas. Em tal momento, quando o homem dá a sua opinião geral e seu senhor não concorda, se achar que as reflexões do lorde não estão de acordo com a razão o guerreiro deve escutar com prudência para si, encerrar o assunto dizendo que seus pensamentos estavam errados, e esperar até que o senhor esteja em um melhor estado de espírito. Quando a situação é conduzida desta forma, o senhor pode mudar sua opinião sobre o assunto, de modo que suas considerações sábias não estarão erradas, e isso será benéfico.

Depende da posição do homem contradizer seu senhor e dizer que ele está errado. Geralmente, para um vassalo não ligado pessoalmente ao próprio *han*, uma ação como esta é extremamente deselegante e não deverá ser feita, não importando o quanto isso seja benéfico para o *daimyo*.

No entanto, não há nada mais escandaloso e desleal do que aparentemente mudar a própria opinião e, lisonjeando, concordar com o senhor admitindo os próprios erros, querendo apenas estar em suas boas graças mesmo sabendo em seu interior que a sua opinião é contrária à razão. De um modo geral, deve ser a consideração principal de um guerreiro a serviço não ceder sequer um milímetro ao desejo de cair nas graças do *daimyo* em sua mente. Quando se trabalhou diligentemente em seus próprios deveres e ainda não entrou em favor do senhor, o guerreiro deve considerar que é uma questão em seus próprios deveres, aceitando seu próprio infortúnio inevitável. Este é um dos objetivos básicos de um guerreiro em serviço.

DISCERNIR UM HOMEM CORAJOSO DE UM COVARDE

Quando se fala de *Bushido*, as três qualidades consideradas essenciais são a lealdade, a integridade e a coragem. Quando estas três virtudes estão em perfeita harmonia em um homem, ele é chamado de samurai da mais alta qualidade. É fácil falar essas três palavras num só fôlego, mas compreendê-las no coração e depois colocá-las em prática é muito difícil. Assim, como já foi dito desde os tempos antigos, é raro encontrar um samurai da mais alta qualidade, mesmo entre cem ou mil guerreiros. Neste contexto, é uma coisa fácil de discernir um guerreiro de lealdade ou de um homem de integridade, como essas qualidades aparecem em seu comportamento diário. Mas há dúvidas quanto a um homem de coragem poder ser distinguido neste período de intercorrências de paz. Essas dúvidas, no entanto, não se justificam. A razão é que a coragem de um guerreiro não é exibida pela primeira vez quando ele veste sua armadura, toma a lança e alabarda, enfrenta o campo e é bloqueado em uma batalha. A vida de um homem comum em paz reflete sua coragem ou covardia como um espelho.

Por que isso acontece? Um homem que nasceu com um senso de coragem vai avançar com alto-astral tudo que for bom, e evitar da mesma forma tudo o que é ruim. Em suas relações com o seu senhor e seus pais, vai fazer seus esforços com lealdade incomparável e piedade filial. Tendo o mínimo de tempo livre, ele vai focar sua mente na aprendizagem e não ser negligente em sua prática das artes marciais. Tendo o cuidado de evitar a extravagância, o guerreiro não vai gostar de desperdiçar um centavo sequer. Não se deve pensar, porém, que isso se deve a uma média ou espírito pobre, porque para as coisas necessárias é que o samurai gastará somas sem pesar, algo que outros não fariam. Quanto a lugares ou atividades proibidas por leis da casa de seu senhor ou detestados por seus pais, ele não os visita ou pratica, mesmo que queira, e vai desistir de tais atividades, não importa o quão difícil pode ser abrir mão. Haja o que houver, ele não vai virar as costas para os desejos de seu senhor ou pais. Ele protegerá sua saúde plena e manterá em mente o desejo de realizar, pelo menos uma vez na vida, uma grande ação meritória. Tendo tal disposição, o guerreiro será profundamente consciente de sua própria constituição e moderado em seus desejos de comida e bebida. Será também muito prudente em relação ao sexo, que é o principal motivo da ruína dos homens, e, além disso, irá suportar qualquer coisa. Todas estas evidências são a coragem de um homem.

Um covarde, por outro lado, vai respeitar o seu *daimyo* e os pais apenas na superfície, e na realidade não vai valorizá-los de fato. Ele não vai dar atenção nenhuma às leis da casa de seu senhor ou às aversões de seus pais, e sim andar nos lugares que não deve frequentar e fazer coisas que não deveria, colocando sua autoindulgência antes de qualquer outra. Este homem gosta de dormir na parte da manhã e só acordar ao meio-dia, e não gosta de qualquer coisa relacionada a aprender. Mesmo em sua performance de artes marciais, que são o cerne de um guerreiro, será completamente desprovido de disciplina.

Praticando um pouco disto e um pouco daquilo, ele vai falar com conhecimento de causa do seu orgulho nas artes, independentemente de suas falhas. Vai perder, sem pensar no futuro ou no passado, o pouco de salário que pode receber, gastar qualquer quantia de dinheiro em refeições suntuosas ou coisas inúteis e idiotas. Com qualquer outra coisa será mesquinho e mão fechada. Nem sequer considerará reparar os fios esmaltados de treliça da velha armadura que ele havia recebido de seu pai, muito menos querer atualizar ou reparar as deficiências em seu arsenal e selaria, o que é absolutamente necessário. Tal homem não dá nenhuma consideração ao fato de que, quando adoecer, não será capaz de servir seu senhor, e deixará os pais em ansiedade e dificuldades. Assim, ele se entrega à gula e beberronice, dando-se à lascívia, e desbastando a fibra de sua existência.

Tudo isso surge de uma mente fraca e irresoluta, incapaz de suportar as coisas por muito tempo. Não seria fora de propósito julgar tudo isso sintomas de um guerreiro covarde.

Assim, pode-se distinguir, sem confusão, o homem corajoso do covarde, mesmo em tempos de paz.

NÃO HÁ NADA TÃO CARO QUANTO UM GUERREIRO

Para os guerreiros de elite é desnecessário dizer, mas que fique claro para aqueles de classes mais baixas: um samurai que recebe um salário adequado de seu senhor e serve em seus deveres atribuídos nunca deve, nem por um momento, considerar o seu corpo ou sua vida como sua. A razão é como se segue. Na classe guerreira, existem dois tipos de homens que servem.

Os atendentes e lacaios abaixo dos soldados a pé, por exemplo, recebem pequenos salários e subsídios de arroz, embora trabalhem à exaustão tanto de dia quanto de noite. Por outro lado, ninguém nesta classe é obrigado a desistir de sua vida, uma parte importante do serviço do seu senhor. Assim, ele nunca será acusado de ultraje, mesmo se fugir ou mostrar covardia no lugar mais importante do samurai: o campo de batalha. No entanto, é possível dizer que o serviço encontra-se apenas em vender nossos esforços?

Um samurai é um homem que está determinado a servir com o entendimento preliminar de que vai desistir de sua vida para o seu *daimyo*. Assim, embora não tenha que trabalhar à exaustão como os níveis mais baixos, no momento em que seu general estiver em necessidade, não moverá um pé em retirada e terá uma morte resplandecente, ou então vai ficar na frente de seu senhor ou general e parar com seu próprio corpo as flechas lançadas pelo inimigo. Que o senhor valorize profundamente este guerreiro e olhe para seus homens, sempre dando-lhes salários generosos, é natural quando o país está em guerra. Mas hoje, quando o mundo está em paz, não existem essas necessidades e não há nada tão caro ou dispendioso como um samurai.

A razão é, e isto sem contar um guerreiro de alta posição, que ao longo de um período de dez anos mesmo um pequeno salário de 100 kokus torna-se um salário de 1000 kokus. Quanto de uma bolsa, em seguida, foi recebido ao longo das décadas desde gerações do avô do pai de um e quanto dinheiro poderia ser isso? Desta forma, é essencial a considerar cuidadosamente a profundidade de favores do *daimyo*, bem como as suas intenções para apoiar seus vassalos.

E quais são essas intenções? Não é que o senhor não reconheça o grande esforço envolvido no pagamento anual de grandes salários para os samurais, desde os da classe mais alta até os mais baixos. Mas pensando nos homens que serviram em tempos anteriores de combate, ele sabe que, em caso de algum distúrbio inesperado, generais devem ser equipados e tropas colocadas no campo, e se acontecer uma coisa dessas com ele as necessidades militares seriam consideráveis.

Para um feudo de 100.000 kokus, por exemplo, as tropas e materiais solicitados pelo shogunato seriam de 170 homens montados, 60 soldados a pé, equipados com arcos, 350 soldados equipados com fuzis, 150 lanças, e vassalos para o general. Quanto ao número de tropas acima disso, seria de acordo com a capacidade e os pensamentos daquele general, dependendo da ocasião. Além disso, após este número de tropas for retirado e levado para a frente, o castelo não pode ser deixado em aberto a si mesmo, e um número suficiente de homens deve ser deixado para trás para protegê-lo e mantê-lo forte e defensável em caso de emergência. Quando se planeja para tais situações, normalmente pensa-se que o *han* tem inúmeras pessoas; mas, quando surge a emergência, os homens estarão em falta.

Além disso, é natural pensar que, porque este é um período de paz e existem muitos guerreiros sem mestres, quando surgir uma situação de emergência, seria fácil empregá-los rapidamente. Se o posto de um samurai é alto ou baixo, o que é importa para eles é a lealdade. É claro que, uma vez que estes são guerreiros, mesmo se rapidamente empregados não devem ser desprovidos de utilidade. Mas se um guerreiro não imbuído com muitos anos de favores generosos do senhor e do recebimento de sua bondade diariamente não tiver meditado sobre o desejo de ser de alguma serventia e de retribuir as antigas bondades do *daimyo*, não será de total lealdade no momento de maior necessidade.

Por os homens como os senhores provinciais e generais pensarem dessa forma, empregarão um grande número de samurais de todos os tipos, mesmo que eles tenham pouca lealdade em contrapartida.

Ora, entre os muitos samurais, cujas famílias têm servido no *han* por gerações, pode haver alguns que sejam mal favorecidos, ou naturalmente e totalmente ineptos ou aparentemente estúpidos. Mas o senhor vai olhar sobre esses homens com generosidade e conceder-lhes os seus salários, sem discrepâncias. Em tempos de emergência, devido à bondade e familiaridade mostradas a eles, esses homens não vão pensar duas vezes antes de colocar suas vidas em risco. Que os prováveis trabalhos úteis de tais homens é um grande tesouro e algo para ser invocado é exatamente o pensamento interior dos senhores provinciais e, se é assim, então um vassalo deve não apenas supor os pensamentos de seu senhor, mas também deve investigar completamente o que seus próprios pensamentos e intenções devam ser como a de um guerreiro em batalha.

Como as funções de serviços de guarda, atendente e mensageiro tempos de paz são tão comuns que seria um disperdício usar os préstimos de um samurai. Mas se amanhã algum evento inesperado ocorrer, se apenas um vai praticar as artes marciais, com a intenção de incentivar outros com lealdade insuperável; se ele vai ter o número correto de homens, cavalos e armaduras para os guerreiros e cavalos aparelhados; e, no caso de um evento como esse, mas ele não diz nada aos outros, ele vai resolver no seu coração com o deus da guerra, Marishiten, como testemunha de realizar sempre as três funções de ser o primeiro em campo durante ataques em áreas abertas, sendo o primeiro por cima do muro em ataques a castelos, e tomando a posição derradeira no caso um de seus aliados estar em retirada, permitindo que os outros, independentemente do número de samurais em um grupo que terá as intenções de guerreiros de verdade.

Além disso, fundamentado nas intenções acima mencionadas, deve-se considerar que nem o corpo nem a sua vida são sua propriedade, e deve saber que é difícil julgar a que momento ele será de utilidade para o seu senhor. Ele, portanto, valoriza a sua vida ainda mais e evita negligenciar a sua saúde por comer demais, beber demais ou abster-se de ambos. E o guerreiro desejará prolongar sua vida por pelo menos mais um dia, sabendo que deve sacrificá-la na realização de pelo menos um serviço valoroso para o seu *daimyo*. Assim, não considerará sua verdadeira intenção de morrer na cama de doença. Mais ainda, ele será resoluto e extremamente cuidadoso com o conhecimento de que seria deslealdade extrema e grande injustiça envolver-se em brigas sem sentido e sem propósito, reduzindo os amigos e associados e perdendo sua própria vida.

O grande cuidado, então, deve estar em evitar falar livremente. Geralmente, é desprezível para um guerreiro usar muitas palavras. Entretanto, quando aqueles que não entendem isso se envolvem em conversas inúteis, uma briga se desenvolve, cresce e os temperamentos se acirram, ocorre uma luta e, quando isso acontecer, certamente haverá linguagem abusiva. E é lógico que, quando dois guerreiros se reúnem com linguajar abusivo mútuo, existe uma chance baxixíssima de o caso terminar sem incidentes. Portanto, o homem que tem compreensão disso antes de uma briga começar, que tem considerado sua vida dedicada ao seu senhor desde o início, e que controla a sua raiva, é chamado de samurai leal e de um homem discreto. Agora, entre um de muitos associados dentro do *han* há uma probabilidade de haver alguns que são ou loucos ou tolos. Quando um tolo fala excessivamente, as pessoas ao seu redor agirão como se não ouvissem e evitarão sua presença.

Isso só faz com que ele pense que os outros têm medo dele, e torna-se mais cheio de si, cuspindo todos os tipos de linguagem ofensivas, e no final falando injúrias insuportáveis para todos.

Quando tal incidente acontece com um guerreiro, ele é considerado um desastre terrível. Se por acaso ocorrerem tais circunstâncias, o samurai deve rapidamente tomar uma decisão e acalmar a sua mente e coração, julgar as condições de lugar e tempo, e se existem obstáculos para resolver a questão ali mesmo, para por fim deixar o local e voltar para casa. Ele deve, então, concluir tanto seus assuntos privados e funcionais e certificar-se de que seu coração não valoriza mais os pensamentos deste mundo. Munido desses sentimentos, deve transcrever as circunstâncias do ocorrido juntamente com testemunhas num documento. Desta forma, deve prestar atenção à oportunidade e se vingar totalmente pelo incidente, tendo sempre em mente cometer o *seppuku*[10] em seguida ou conseguir uma investigação official e cometer *seppuku*. Em tal momento, todos os seus companheiros ficarão impressionados por suas ações terem sido bastante razoáveis, e estas serão certamente consideradas admiráveis pelo senhor também. Ao mesmo tempo, não pode servir um pouco como de um pedido de desculpas para a deslealdade também? Os jovens sem tais pensamentos, no entanto, serão levados pela raiva do momento a um confrontamento tolo, resultando numa morte súbita e sem sentido. Isto acontece porque esses homens simplesmente não sabem que a vida de um samurai é dedicada desde o início a seu senhor, e não é algo de sua alçada. Isso é algo que deve ser muito bem colocado em seu coração.

TENHA SENSIBILIDADE PARA COM O DESCONFORTO DOS OUTROS

Quando um samurai que está em serviço está vivendo em sua própria casa ou nos alojamentos dos feudos, e um entre seus companheiros está gravemente doente ou tem algum motivo de angústia, mesmo que esse companheiro não possa confidenciar, o samurai deve ficar atento a gargalhadas e músicas. Ele também deve instruir sua esposa, filhos e servos a perceber que isso não é inteiramente em conta das opiniões do angustiado, mas é prudente evitar o desprezo e as calúnias dos conterrâneos que podem ser extremamente cerimoniosos e rudes.

10. Seppuku - forma de suicídio reservada à classe guerreira japonesa que consiste basicamente em cortar o ventre.

O GUERREIRO QUE AGRIDE SUA ESPOSA É UM COVARDE

Quando a esposa de um verdadeiro guerreiro faz algo que não está de acordo com a sua vontade, a coisa mais razoável a fazer é dar-lhe uma explicação sobre o que é certo para que ela entenda bem, e, se for uma questão pequena, perdoá-la e ser paciente. Se, no entanto, ele sente que ela está com má vontade e, no final, provavelmente será de pouca utilidade, ele deve dar-lhe um divórcio completo e devolvê-la a seus pais. Esta é outra coisa. Por outro lado, um homem que não faz isso mas, estando claro que esta mulher é sua esposa, levanta a voz em todos os tipos de linguagem abusiva e insulta a pessoa a quem os outros chamam de "madame" e "minha senhora", age à maneira dos carregadores e outros trabalhadores braçais que vivem nas ruas secundárias das cidades e vilas. De qualquer forma, esse tipo de comportamento não é esperado de um guerreiro que já atuou em plena capacidade. Nem é preciso dizer que bater com sua espada ou usar os punhos em sua esposa é indescritivelmente ultrajante, e todos esses atos são de um guerreiro covarde.

Especificamente falando, considerar a idade da filha de um guerreiro, quando ela está pronta para o casamento.

Embora um homem de idade, é impressionante não ter sido atingido, é difícil para uma mulher ser paciente enquanto está sendo obrigada a derramar lágrimas. Como regra geral, é injusto procurar um adversário que é incapaz de resistir; não corresponde à descrição de um guerreiro valente. O homem que gosta de fazer as coisas que um guerreiro valente odeia e não faz é um covarde.

DEVERES DEVEM SER COMPLETOS NO MESMO DIA; UM SEGUNDO DIA É ATRASO

Para um guerreiro que serve um senhor, há um entendimento preliminar sobre o tempo de execução das suas tarefas diárias, mesmo que sejam difíceis e pareçam intermináveis. Especificamente falando, é importante fazer seus deveres no dia estipulado em vez de pensar que terá tempo ilimitado no futuro. A razão para isso é que, para os homens neste mundo incerto, nada é capaz de dizer o que o amanhã pode trazer. Sendo assim, também é difícil julgar os imprevistos que podem ocorrer entre senhor e servo. Se nada desagradável acontece, essa relação pode continuar por muitos anos para sua conclusão natural. Mas quando se tem pela primeira vez a resolução de fazer, pelo menos, os deveres do dia, ele não sofrerá de tédio nem negligenciará nada e estará consciente de fazer as coisas no mesmo dia previsto. Assim, será assíduo e naturalmente atento. No entanto, quando se pensa que o mundo vai continuar sem mudança e que se tem tempo ilimitado para exercer as suas funções, conforme o tempo passa, o guerreiro torna-se aborrecido com as coisas, sua mente afrouxa e seu espírito se torna negligente. Ele deixará para amanhã não só as preocupações menos urgentes do seu senhor, mas também aquelas que devem ser rapidamente falou mais e chegar a uma conclusão, e, portanto, as questões se acumulam e serão negligenciadas. Por mais que se jogue a culpa em outro, não haverá ninguém para vir em sua ajuda e o assunto não só vai se tornar desagradável como também vai aumentar, e no final haverá muitos muito mais problemas. Estas são todas as questões que surgem devido a uma mente negligente que não discerne que os deveres de um guerreiro devem ser feitos no dia estipulado e, assim, arrasta-se por dias e meses. Deve-se prestar extrema atenção a isso. Agora, um guerreiro cujas funções são fixadas a um certo número de dias consecutivos a cada mês deve saber que, se a mudança de funções vem às 18 horas, ele precisa saber a distância entre o seu domicílio e o estabelecimento do senhor, observar o comprimento do dia e deve sempre deixar um pouco mais cedo, não importando quais as circunstâncias.

Deve-se entender bem isso. Por estar ressentido em ter de sair para o seu lugar atribuído de dever e ocioso em ter mais uma xícara de chá, mais uma fumaça no cachimbo, ou pedaços de conversa, pela primeira vez com a esposa e com os filhos, o tempo passa e um homem deixará sua casa tarde, correndo ao longo da estrada em um estado confuso desconsiderando o que os transeuntes podem pensar. Ele chegará em seu escritório suando em bicas e, ao mesmo tempo, usando um ventilador, mesmo no auge do inverno, e inventará uma desculpa sobre estar atrasado por causa de alguns problemas inevitáveis. Isso soará como farsa teatral para qualquer um que, em particular, estiver de serviço no estabelecimento do senhor e for o primeiro entre os deveres de um guerreiro, por estar guardando a residência do *daimyo*, mesmo que apenas por um curto tempo. Assim, um guerreiro nunca se deve atrasar devido a seus próprios assuntos pessoais, independentemente de quais possam ser as circunstâncias. Além disso, mesmo se ele compreender isso e vier mais cedo para trabalhar, é extremamente inconveniente ficar inquieto e bocejando quando sua substituição é tarde, agindo como se não conseguisse ficar um pouco mais no estabelecimento do senhor e como se quisesse voltar logo para casa. Deve-se ser prudente quanto a essas questões. É razoável pedir isenção de certos direitos, como quando seus pais estão tão doentes que precisam que o guerreiro esteja lá para cuidá-los. Quando uma criança está doente, depende da posição e circunstâncias do pai. Isso porque um dos pais, independentemente do seu estatuto, não pode deixar de se sentir desconfortável com a doença de um filho; mas, se ele for da posição de ser capaz de atribuir um ou dois vassalos para cuidar da criança em seu lugar, e se a doença não for grave demais, não é razão suficiente para estar ausente do seu posto. E mais uma coisa: se um guerreiro de posição baixa não tem vassalo constante para cuidar da criança. Acima de tudo, é totalmente fora de questão para um guerreiro de baixa posição, muito menos um de alta posição, ausentar-se de suas funções oficiais com a desculpa de que sua esposa está doente. No entanto, pode-se dizer que ficar em casa é razoável se sua doença for grave, ou se ele próprio a tiver contraído e não dever sair.

LIVRO III

Independentemente de quão insignificante o assunto pode ser, alguém verdadeiramente desejoso em ser um guerreiro focará toda atenção nisso.

DEVER DO GUERREIRO É PROTEGER O AGRICULTOR, O ARTESÃO, E O COMERCIANTE

Havia uma certa pessoa que disse o seguinte: "Muito, há muito tempo não havia classe guerreira, e o mundo se deu bem com apenas as classes de agricultores, artesãos e comerciantes. Logo depois se levantaram os assaltantes e ladrões, dando-lhes aflição e dor. Porque mesmo a força unida das três classes não foi suficiente para protegê-los, eles se reuniram em conferência e elegeram, dentre os agricultores, os homens de boa linhagem e caráter. A estes chamaram samurais, que deixaram a agricultura, e receberam alimentos, roupas e abrigo.

Estes homens foram criados com a função de proteger as três classes dos desastres causados pelos ladrões e assaltantes, e foram colocados acima dos outros membros da sociedade, que os respeitavam muito e os chamaram de " honrados samurais". Estes então, pararam de usar a pá e enxada, e agora, para castigar os ladrões e assaltantes, considereram essencial tornarem-se hábeis nas artes de tiro com arco e equitação, e no manuseio de lanças e espadas longas. Os ladrões e assaltantes ficaram com medo deles e, estabelecendo-se em grande número nas montanhas com florestas e vales escuros, erigiram fortalezas e aprovisionaram-se com os armamentos adequados no cuidado para não serem mortos tão facilmente. Os guerreiros de várias localidades, em seguida, reuniram-se como uma força em um só lugar, nomearam um samurai como general, e colocaram-se sob suas ordens e instruções. Praticaram vários tipos de estratégias militares, e avançaram até a área dos assaltantes e ladrões e os derrotaram. Assim, os membros das três classes da sociedade se alegraram muito, descansaram, e tudo o mais considerando os samurais como funcionários de grande valor. Depois de várias dessas situações, ficou estabelecida a prática de ter quatro classes sociais: agricultores, artesãos, mercadores e guerreiros, este foi o início dos clãs samurais.

Sendo um homem inculto, não posso julgar a validade desta teoria. Na sociedade atual, no entanto, não é tão desagradável, entre os guerreiros, de um homem parar a agricultura e se tornar um guerreiro, e nem é o mínimo frustrante o samurai deixar a classe marcial e se envolver na agricultura, pois ele pode, mais uma vez voltar a ser um guerreiro. No entanto, é difícil para um homem das classes dos artesãos ou comerciantes se tornar um guerreiro, e uma coisa natural que um guerreiro não pode deixar a sua classe para se tornar um artesão ou comerciante nem por um dia e depois voltar aos seus deveres marciais. Quando se considera esses fatos, a teoria acima pode ser pensada para ter alguma base. Sendo assim, não há dúvida de que a função do guerreiro é trazer a paz de espírito para os outros membros da sociedade. Assim, não é razoável que os homens chamados de "guerreiros" passem a agir de forma injusta e excessiva para as outras três classes.

Isto vale para aqueles de alto escalão, mas também diz respeito a homens de status inferior.

No entanto, tal não é o caso. Os agricultores são tributadas sem razão, e ainda mais esmagados sob os vários excessos. Mercadorias são adquiridas dos artesãos que não recebem o adiantamento para pagar as matérias-primas e nem o trabalho, e são ignorados quando se trata do pagamento. O dinheiro é emprestado e os homens ganham a vida na ociosidade. Tais atos devem ser descritos como grande injustiça, muito longe das verdadeiras intenções de um guerreiro.

É preciso entender bem este ponto e ter um pouco de simpatia para com os agricultores da região e não oprimir a classe dos comerciantes. Quanto ao dinheiro emprestado, que é o modo de vida da classe mercantil, se alguém não pode pagar tudo de uma vez, ele deve enviá-lo de volta pouco a pouco, tomando cuidado para não causar danos ou inconvenientes. É essencial ao guerreiro não imitar os próprios ladrões e assaltantes, pois a sua função é puni-los.

VALORIZAR O BRASÃO DA FAMÍLIA DE UM SENHOR

Há momentos em que um guerreiro que está a serviço e pode receber por vontade do seu senhor um manto cerimonial ou roupa cerimonial onde está bordado o brasão da família do *daimyo*. É importante entender que ao usar a roupa com o brasão do senhor, deve-se usar um manto cerimonial com o seu próprio emblema, e quando vestindo o manto cerimonial com o brasão do senhor, ele deve vestir a roupa cerimonial com o seu próprio emblema. Por outro lado, se ele usar ambas as peças com brasão do *daimyo*, ele parece estar no mesmo nível que os parentes próximos do lorde, e isso seria extremamente descortês ao senhor e à família dele. Além disso, caso os outros vassalos vejam algo assim, eles provavelmente se perguntarão quando aquele samurai foi tão privilegiado, e, sabendo que ele não tivesse sido, iriam censurá-lo de maneira agressiva por ele ter sido extremamente descortês e um tolo. A razão para isso é que as ordenanças de vários clãs proíbem estritamente o uso simultâneo da roupa cerimonial e quimono, quando ambas possuem o brasão da família do *daimyo*.

Além disso, quando a roupa cerimonial que recebeu ficar velha e não é mais usável, deve-se cortar o brasão da família do senhor, e depois queimar a roupa. A razão é que, no caso dos guerreiros de baixo escalão, suas esposas e servas são ordenadas para lavar roupas velhas, e, sendo mulheres, elas vão, sem dúvida alguma fazer da roupa velha bordada com o emblema da família do senhor num forro de pano para a parte de baixo da cintura, e sem saber, em lençóis ou roupas íntimas. Assim profanar o emblema da família do *daimyo*, alguém vai perder o favor divino e, de surpresa, incorrer em punição do mestre. E segundo as tradicições, é certo que também incorrerão doenças problemáticas que afetam o corpo da cintura para baixo, como infecção nas nádegas ou furúnculo nas pernas. Mas, mesmo que tais desastres não lhe aconteçam, o homem que compreende os deveres de um samurai seguirá estritamente e com reverência sobre este assunto.

MANTENHA UMA DISTÂNCIA RESPEITOSA DA ADMINISTRAÇÃO DOS ASSUNTOS FINANCEIROS

Deve-se definitivamente entender que, apesar de um guerreiro que serve ser obrigado a executar várias funções, pela vontade do seu senhor, ele deve evitar as funções relacionadas com a administração financeira, tanto quanto possível. A razão é que um funcionário envolvido na administração financeira não deve partilhar da angústia dos habitantes da cidade no castelo ou dos agricultores das aldeias vizinhas, muito menos dos funcionários de qualquer categoria dentro do *han*, e ao mesmo tempo ele tem de gerir as finanças de um modo seguro para o seu *daimyo*. Através de tais boas obras este oficial presta verdadeiramente um grande serviço ao seu senhor.

No entanto, é difícil de fazer bem esse trabalho com sabedoria e recursos apenas normais. Pois, por um lado, se um funcionário pensa apenas em termos de amor do seu senhor, as pessoas abaixo dele sofrerão e ficarão em condições de necessidade. Por outro lado, se ele pensa apenas na felicidade de todos os que estão abaixo do seu *daimyo*, as finanças do *han* certamente sofrerão alguns efeitos nocivos. Assim, um lado ou o outro será prejudicado. Por isso, diz-se ser um dever com o qual não se deve entrar.

Além disso, não importa o quão brilhante e inventivo um guerreiro possa ser desde o nascimento, a ganância é uma doença que atinge facilmente qualquer um. Assim, quando se está a lidar com assuntos financeiros do senhor, outros precisam de seus serviços constantemente, ele lida com contas de caixa livre, se torna vaidoso e progressivamente mostra sinais de querer dominar os outros, e, naturalmente, começa a viver uma vida além de seu status social.

Desta forma, mesmo sem estar ciente, ele começa a mostrar favoritismo, as contas não se equilibram, e ele alimenta sua própria ganância por peculato. Eventualmente, tudo é descoberto e traz sobre si a ruína. Uma coisa é certa: tal pessoa é chamada de "funcionário ladrão".

Por outro lado, e se esse funcionário não for motivado por ganância, favoritismo ou peculato, mas simplesmente pelos interesses do senhor? Ele pode trabalhar vários planos e leis contrárias às tradições para o *han*, e sem pensar nos problemas que ele pode trazer sobre os funcionários de todos os escalões do *han*, ele cobra pesados impostos sobre os habitantes da cidade e os agricultores. Ou, sem pensar que a província possa ter despesas posteriores ou que desastres entre as pessoas podem ocorrer trazendo calamidades para a gestão do *han*, ele vê apenas os ganhos imediatos e trabalha em seus planos nesse sentido. Para este fim, ele engana esses vassalos, anciãos e outros oficiais principais cuja falta de sabedoria leva-os a assumirem seus planos. Agora, se as coisas correrem bem, ele tem todo o crédito, mas se suas novas leis acabam em erros improfícuos e irreparáveis, ele se esconde na sombra dos agentes acima referidos, deixando como se fosse culpa de suas ordens e planejamento. Assim, ele evita a punição e se mantém longe de problemas. Tal homem é chamado um "funcionário das sobretaxas".

Agora, enquanto o oficial ladrão cometeu atos iníquos e abomináveis em roubar a propriedade do seu senhor e, assim, receber o castigo divino, o caso terminou com a sua própria queda e a sua condenção à morte. Outros não foram afetados com dificuldades ou problemas, a gestão do *han*, é claro, está sob controle, e a província não teve verdadeiros desastres. O oficial das sobretaxas, por outro lado, está constantemente pensando em coisas, que trazem dor a todos os homens, e inicia as políticas que trarão encargos irreparáveis à administração provincial. Mesmo que esse funcionário não tenha ganância pessoal e não cometa desfalques, não há maior crime do que um homem como este. Nas palavras do sábio chinês: "É melhor ter um funcionário que rouba do que aquele que sobrecarrega os impostos". Assim, embora o pior mal que pode possa acontecer a um guerreiro seja receber o nome de "funcionário ladrão", a partir das palavras do sábio, vemos que pior ainda é o funcionário que sobrecarrega as pessoas.

Assim, se a punição do funcionário ladrão é a decapitação, o funcionário sobrecarregador deve ser crucificado. Na época de Confúcio, o funcionário sobrecarregador e o funcionário ladrão foram considerados em separado e, portanto, a palavra vem a nós como ela é. Nos últimos tempos, no entanto, o funcionário sobrecarregador, que acarreta esses problemas e dificuldades a todos os que estão abaixo dele, comete os atos de um funcionário ladrão também. Tornando-se essencial para os outros por meio de sua autoridade, arquitetando vários esquemas inteligentes, desvia os bens dos outros, e, por ser astuto, ele vive uma vida de luxo bem além de sua posição social. Além disso, este homem torna público que os montes de ouro e prata, que foram tão difíceis para os outros obter, são para o bem do senhor, enquanto secretamente encontrar maneiras de usá-lo para seu uso exclusivo e leva uma vida de riqueza injusta. Este homem é uma combinação dos ladrões e funcionários sobrecarregador e certamente poderia ser chamado de grande ladrão. É difícil julgar qual o tipo de punição adequada a um tipo como este.

Dessa maneira, um homem que se esforça para ser um guerreiro, depende de sua própria força dada pelos deuses e Buda, e deve esperar que nunca seja chamado aos deveres de assuntos financeiros do seu *daimyo*. Esta é a verdadeira justiça de guerreiro. Caso essa posição esteja disponível e alguém se encontrar querendo experimentá-lo, ele deve conter-se com medo, sabendo que este é nada mais do que um presságio do fim de sua sorte como um guerreiro. O efeito será o mesmo que um Buda de lama jogado na água.

PROMESSAS FEITAS FACILMENTE ACARRETAM EM RUÍNA

O homem que queira ser um guerreiro deve ter um caráter de extrema confiabilidade, se ele pretende seguir a justeza do caminho marcial. No entanto, se um assume a responsabilidade por algo irracional, ou coloca-se em uma situação em que um não tem nenhum negócio, ou toma-se uma questão em que um de trabalho não deve ser envolvido, um vai ser conhecido como intruso e rumores como intrometido. Isso é muito pobre. É muito importante que os jovens entendam isso.

A pessoa não deve se envolver, a menos que seja solicitada enfaticamente, não importa o quão simples o assunto possa parecer. A razão para isto é que uma vez que ele se comprometeu a si mesmo como um guerreiro para alguma coisa, seja ela simples ou extremamente difícil, ele terá que se envolver e tomar cuidado e interesse pelo assunto. E, dependendo de como a situação se desenvolve, ele pode, inevitavelmente, ter que desistir de sua vida. É muito difícil dar a vida, mesmo por causa de um lorde ou da família. Assim, é inútil assumir um ar de confiança em tais circunstâncias irracionais.

Quando foram solicitados os guerreiros de antigamente a fazer algo pelos outros, a primeira questão a ser analisada é se pode ser realizada ou não, e, se eles a considerassem impossível, deveriam recusá-la. Se eles achavam que era algo que poderia ser feito, eles comprometiam-se absolutamente à questão só depois de pensar através do começo ao fim como poderia ser realizado. Devido a isso, as empresas que eles realizaram em sua grande parte ocorreram em boa ordem e as circunstâncias raramente iam contra eles.

Assim, eles foram elogiados como homens que realizaram o que se propuseram fazer. É certo, porém, que um homem vai ganhar a reputação de alguém que nunca consegue nada se ele não pensa nas consequências, mas rapidamente aceita logo que ele é convidado, não tendo nenhuma consideração para as circunstâncias, independentemente de como elas possam ser desfavoráveis. Além disso, falando consigo mesmo ou dando a opinião de um homem são consideradas virtudes decorrentes de alienação de confiança e, portanto, desejável. No entanto deve-se pensar sobre isso com cuidado.

Especificamente falando, quando um homem está na posição de pai, professor, irmão mais velho ou um tio e aborda seu filho, estudante, irmão ou sobrinho, não é uma questão de grande preocupação, independentemente da opinião ou pensamento que ele defende. No entanto, mesmo em tais circunstâncias, as palavras que passam da boca de um guerreiro são graves e devem ser feitas com moderação e consideração.

Quanto mais, então, é necessário entender o peso extremo de dar suas opiniões para seus amigos e companheiros?

Além disso, quando uma pessoa com quem se tem sido íntimo há algum tempo, seja ele familiar ou não, vem com um problema que ele é incapaz de resolver e abre uma discussão perguntando como ela pode resolver, é uma coisa para desmanchar o assunto logo de cara, alegando não ter conhecimento disso. Mas uma vez que se tornar confidente do homem, é absolutamente correto, e para um guerreiro a ação mais confiável a tomar, é dar-lhe uma opinião cheia, sem reserva e de acordo com a razão, independentemente de como ele pode executar contrário aos seus pensamentos ou sentimentos. No entanto, são tímidos e hesitam desajeitadamente ao considerar suas palavras, de modo a não ferir os sentimentos do homem ou do espírito fazendo com que a conversa seja sinuosa. Isso fará com que o homem diga coisas que não deve ou dar-lhe um curso equivocado de ação, trazendo sobre ele a crítica e zombaria dos outros. Isso faz com que um confidente confiável se torne sem valor, e é, afinal, um descuido resultante de uma natureza não confiável.

Um homem que pensa por si mesmo quando envolvido em conversa age em conformidade com a razão. Não fazê-lo, no entanto, e agindo somente de acordo com os sentimentos e com a falta de discernimento que possa causar danos, é razoável que as pessoas irão evitar intimidade com ele no futuro. Quando a pessoa já se envolveu em uma conversa, um samurai não deve se preocupar com os sentimentos ou estado de espírito daquele que pede ajuda, e acabar virando as costas à razão ou ir contra a lógica, concordando com tudo o que o homem diz. Além disso, deve-se usar de moderação, sabendo que no futuro ele vai ser falado por outros como um confidente no assunto.

NÃO SE ESQUEÇA DA MENTE DO SUBORDINADO

Um guerreiro de baixo escalão que está servindo sob um líder do grupo chega a compreender as preocupações dos seus superiores e as características de seus associados através da experiência. Ele sabe que, mesmo que ele queira fazer nome e fortuna para si, avançando na vida e assumir o comando de um grupo, ele deve sempre ter simpatia por seus subordinados e estar a serviço de seu senhor. Não deve permitir, nem mesmo por um segundo, que o favoritismo e a parcialidade entrem nas considerações para a promoção de um guerreiro.

No entanto, as promoções são graduais e são assumidos os vários escritórios importantes do líder do grupo, ele começa a ter preocupações diferentes daquelas que tinha como um subordinado. Então a simpatia por seus próprios subordinados ou o desejo de estar a serviço de seu senhor não pode escapar de suas considerações. Mesmo quando suas ações são bem avaliadas pelo seu *daimyo* e ele é promovido a cargos melhores, se nunca vai esquecer seu tempo nos escalões inferiores e sempre ter que a felicidade do homem é algo difícil de encontrar e fácil de perder, ele será um homem precavido.

A prudência o manterá longe da extravagância, e será capaz de evitar o desastre se não tiver uma vida de esbanjador.

A natureza humana é tal, no entanto, que nove em cada dez pessoas ficam orgulhosas quando suas situações dão uma virada para melhor. Isso sempre foi assim. Homens como Sakuma e Uozumi dos clã Oda e Hashiba foram excelentes guerreiros quando ainda estavam nos escalões iniciais. Depois que eles foram promovidos ao alto escalão, os erros se multiplicaram, elas foram abandonados por seus senhores, e trouxeram a ruína sobre si mesmos. Este é um exemplo de tempos antigos que os guerreiros de baixa patente devem ter em mente.

Especialmente quando um samurai cuja folha de serviços não tem sido excepcional e cujas habilidades naturais aparecem menos do que sua reputação é promovido muito além daqueles que eram seus iguais, é certo que haverá falatório que ocorreu falta de escrutínio pelos líderes de grupo ou como um caso de favoritismo.

Nunca se deve esquecer essas coisas. E ele deve ser promovida até mesmo para os vários departamentos da liderança, ele deve ter em mente as várias características de seus subordinados e seus anos de serviço, nunca deixando um fio de cabelo de favoritismo entrar em sua mente. Esta é a maneira correta e justa de gerir um grupo e é a justiça de um guerreiro. Em contrapartida, provavelmente haverá um samurai em algum grupo que não tem nem um caráter pessoal particularmente alto, nem folha de serviço exemplar. No entanto, ele terá uma relação ou conexão entre os principais vassalos, anciãos do feudo ou outros homens bem posicionados que podem secretamente pedir a promoção dele de uma maneira difícil de recusar. Em tal momento, deve-se encarar que as nomeações são feitas sob o auspício do *daimyo*, que qualquer outro pedido é uma irregularidade, e que escrevendo uma promoção que não está em conformidade com a investigação do grupo simplesmente não é feito. Pode continuar que isso é assim porque na gestão de um grupo sem favoritismo é mostrado, e que aqueles que dirigem o grupo seguem rigorosamente as admostações do senhor. Mesmo que se fosse seguir a indicação, virando as costas para a lei do seu senhor, agindo pelas costas, isso seria contra os anseios de todos os outros samurais subordinados ao grupo. Afinal, isso não seria do interesse do senhor. Pode-se acrescentar que, embora ele ignore as formas de outros grupos, neste os líderes se reúnem para discussão, examinando cuidadosamente as habilidades e as obras do candidato, e escolher o homem adequado. Eles, então, escrevem uma carta de recomendação para o seu *daimyo* e esperam ganhar o seu entendimento.

Assim o nome é recusado ou aceito independentemente de quem ele é. Este é o procedimento adequado de um guerreiro que é líder de grupo ou um general.

No entanto, não dizer uma palavra em tal ocasião, e fazer exatamente o que o homem tem falado seria perder o respeito de seus subordinados e pode-se dizer que por covardia e incompetência.

Todas essas coisas acontecem quando se deixa de lado a consciência de um guerreiro de baixo escalão, pensando apenas em melhorar cada vez mais sua situação, e da bajulação e falta de sinceridade é que procede o desejo de fama e riqueza.

Mas se alguém vira as costas para as instruções de uma pessoa a quem é difícil dizer «não», segue a resposta aqui exposta, e as coisas ainda podem acabar mal e virar um obstáculo para si mesmo, então o que fazer? É dificil explicar, mas é necessário que, de acordo com a opinião de algumas pessoas, "mesmo que o nariz esteja retorcido, não há problemas, desde que se possa respirar".

ANTES DE TER UMA ESPOSA E FILHO DEVE-SE TER CONDIÇÕES

É um grande erro para um homem de baixo escalão gastar seu tempo pensando em ter uma esposa e filhos quando ele não é capaz de pagar até mesmo um único atendente para afiar a sua lança em momentos de emergência. Há, no entanto, entre muitos amigos e parentes aqueles que sugerem que uma mulher é necessária porque haverá momentos de doença, ou porque ele é de baixa patente e suas roupas precisam ser lavadas, seus assuntos domésticos cuidados, ou, acima de tudo, de modo a ter descendentes. Ceder a autoindulgência e tendo esta opinião diferente como verdade, um homem pode, sem maiores reflexões, receber a filha de alguém e levá-la como esposa. Mas, enquanto ele está pensando em quão tranquilos e suficientes seus assuntos cotidianos tornaram-se, num curto espaço de tempo haverá bebês nascidos, um após outro. Isso vai esgotar a sua renda, e o lacaio que ele poderia pagar dará lugar a uma babá. Não terá ninguém para vigiar a casa quando ele estiver ausente, ele terá que dar desculpas ao cuidar de sua esposa e filho quando estão doentes, deixando de cumprir os seus deveres importantes. Cada vez mais a sua renda será usada fora e ele não será capaz nem de avançar, nem de imitar seus pares no mesmo nível. Em tal momento, nove homens em cada dez não vão entender que estas dificuldades surgiram a partir de seu próprio desejo desnecessário e egoísta de ter uma esposa e crianças, mas vai guardar um ridículo descontentamento e rancor relativo à falta de consideração de seu senhor para com ele. Se este ponto foi bem compreendido, fica claro que um guerreiro de baixo escalão deve agir com extrema hesitação sobre a loucura de ter esposa e filho.

Assim, enquanto um guerreiro de baixo escalão ainda é jovem, se ele vai crescendo com seu vigor, esforçando-se exclusivamente no trabalho das suas funções, noite e dia, ele vai aparecer no mundo de forma adequada de acordo com a vontade do seu *daimyo*. Julgando o momento adequado para criar uma família, ele será capaz de analisar a questão dos descendentes mais tarde.

SEMPRE ASPIRAR À DISTINÇÃO E AO MÉRITO

É o primeiro objetivo de um guerreiro em serviço, mesmo em tempos de paz, ter em em mente a realização de pelo menos um grande ato de distinção num momento ou outro. Por causa de seu senhor, ele deve tentar um ato que todos os seus companheiros não sejam capazes de realizar, mesmo que esteja além de sua capacidade realizar por si mesmo, ele deve focar todas as suas energias nessa empreitada. Esta é a intenção básica de um guerreiro. Nem é preciso dizer que em tempos de violência o samurai deve ser mais determinado, até mesmo jurando diante dos deuses e budas, para impressionar tanto os inimigos quanto os aliados no campo de batalha, assim, deixando um nome digno de louvor aos seus últimos descendentes, e não retornando à sua cidade natal até realizar isso.

Sobre esta questão, é razoável para um homem que pretende ser um guerreiro ler as antigas crônicas de guerra e, assim, aprofundar a sua própria resolução. O motivo é que em livros como o *Kôyô Gunkan*[11], *Shinchôki*[12] e *Taikôki*[13] que são tão populares hoje em dia, os eventos das batalhas desses períodos são registrados, e mesmo se um guerreiro fosse de baixa patente, seu nome apareceria se ele tivesse feito grande ato louvável além do normal.

Quanto aos outros que morreram na batalha, ele é simplesmente registrado que tantas centenas ou milhares de mortos. Entre as centenas de milhares que deve ter havido um número qualquer de samurais de alta patente, mas por não terem realizado nenhuma grande obra seus nomes não foram escritos. Assim, mesmo que de baixa patente, apenas os guerreiros que realizaram grandes atos de bravura marcial foram selecionados, os seus nomes escritos para todos verem. É razoável pensar que tanto os que morreram no campo de batalha sem

---

11. Kôyô Gunkan (1616) – registro das façanhas militares do clã Takeda compilados por Kosaka Massanobu.

12. Shinchôki – biografia de Oda Nobunaga escrita por Oze Hoan.

13. Taikôki (1626) – biografia de Toyotomi Hideyoshi feita por Oze Hoan.

que seus nomes ficassem gravados para a posteridade, e aqueles que foram abatidos e ganharam reputação duradoura sofreram a mesma dor quando suas cabeças foram levados pelo inimigo. Pense bem sobre o assunto: Se um dá a sua vida em qualquer situação, será a intenção básica de um samurai para manter sua mente em realizar algum feito que supera todos os outros. Ele vai morrer em batalha com a admiração tanto de seus inimigos como dos aliados, para a tristeza de seu senhor e general que perde um samurai deste calibre e a honra duradoura de seus descendentes.

Para aquele que desconsidera a questão e se apega fixamente à vida, no entanto, quando os exércitos se chocam num vasto campo de batalha, ele ficará atrás de seus aliados, ou na retirada, pensar apenas em ficar na frente. Ao atacar o castelo inimigo, ele vai usar seus companheiros como um escudo contra a grossa chuva de flechas e tiros. No entanto, embora ele seja capaz de inclinar-se abaixo deles, a flecha de um destino inevitável acabará encontrando-o, e, além disso, ele será pisado por todos os seus aliados e, assim, morrerá como um cão. Perder a vida preciosa de tal forma é o extremo do desgosto e uma situação lamentável, e não há nada mais vexatório do que isso para um guerreiro.

Deve-se pensar que esse é um bom fim, se jogar fora a vida no campo de batalha como um guerreiro, ele deve realizar proezas incomparáveis diante dos olhos de tanto dos inimigos e aliados. Ele deve ser atingido de forma magistral, e deixar seu nome para as gerações posteriores. Aplicar-se seriamente a esses pensamentos, desde manhã até o anoitecer é a maneira de um samurai.

LEALDADE INCLUI LONGEVIDADE

É a intenção básica de todo homem que se esforçar para ser um guerreiro viver pelo menos um dia a mais e cumprir seus deveres. Ele deve aguardar o prazo de seu destino, vem a este mundo sem falta, avança a casa de seus antepassados, e deixa fama duradoura para seus descendentes. É assim para os homens das classes elevadas, mas também diz respeito aos de posição subalterna.

Para um homem com deveres e serviços que tem recebido muitas bênçãos de seu senhor, e que tem de suportar não só ele, mas também sua família e até mesmo os seus servos, é natural que ele seja definitivamente grato e queira fazer de sua vida de alguma utilidade para o seu *daimyo*, ao menos uma vez. Esta é a determinação de um guerreiro sincero. Assim, deve-se entender que a sua saúde é de suma importância.

Agora, embora tais coisas como comer e beber em demasia e licenciosidade são prejudiciais para a saúde, não são questões consideradas prejudiciais quando se é jovem. No entanto, neste contexto há inúmeros casos neste mundo de homens que morreram jovens a partir dos desastres de vísceras arruinadas, anemia e lesões internas. Um homem que está atento a isso vai prestar atenção à sua saúde enquanto ele é ainda jovem, de vigor robusto, e sem doença. Ele vai evitar coisas como excessos na comida, bebida e sexo. Ele poderia, então, viver até a idade de 70 ou 80 anos, manter a elasticidade dos membros, e não ser muito inferior a um homem na flor da vida. Mas um homem que não percebe isso e se engaja em atividades insalubres pode pouco a pouco sustentar uma vida de mais ou menos 40 ou 50 anos.

No entanto, mesmo alguém que sobreviver um pouco mais será um inválido e sua vida será inútil.

Especialmente depois que um homem passa dos 50 anos, ele deve colocar cada vez mais importância em coisas que irão repor a saúde do corpo e mente. Ele deve conter sua gula pela comida e bebida, e é claro, ser extremamente prudente com o seu apetite sexual. Um homem após a idade de 50 anos que se envolve em atividades insalubres de uma juventude é incompreensivelmente indiscreto e descuidado.

Estes erros surgem inteiramente a partir da fraqueza de seu objetivo em direção ao Caminho do Guerreiro e da obscuridade de sua lealdade, consideração e dever para com seu senhor. Quando se olha para a razão mais profunda para estas coisas, ele descobre que eles surgem de uma fraqueza no espírito de tolerância. A falta do espírito de tolerância, de não importa o quão altamente reputado um homem, é um sintoma de covardia.

Deve-se tomar extremo cuidado a respeito dessas coisas.

O ROUBO É UM CRIME GRAVE

Ladrões são homens que vão quebrar a porta de trás de sua casa, ou cortar o cordão da bolsa pendurada de sua cintura, ou cometer outros roubos dizendo que esta é a forma como eles ganham a vida. É desnecessário dizer que isso é muito imoral. No entanto, um provérbio dos antigos dizem que *um homem que não tem emprego constante vai ter uma mente inconstante*. Assim, pode-se considerar que, embora sem princípios, é pelo menos um pouco razoável que, quando um homem está destituído e não tem outros meios, em sua mente entorpecida ele pode pensar que ele deve afastar a fome e o frio, mesmo que precise roubar, sabendo que se for pego pode custar-lhe a cabeça.

Posição e riqueza social de um homem são assuntos da vontade dos céus. Aqueles que resolveram não buscar a dor ou felicidade por meio do mal, mesmo prestes a morrer de frio e fome dificilmente são encontrados, mesmo na classe dos samurais. Assim pode-se considerar o roubo ao menos compreensível.

O guerreiro que serve um *daimyo*, independentemente da classificação, transporta um sobrenome e uma espada, por isso seria difícil chamá-lo simplesmente uma pessoa comum. E, porque ele serve o seu senhor, e, naturalmente, recebe um salário adequado e generoso, seria difícil dizer que ele está sem "emprego constante." O principal propósito do samurai, então, de ser ordenado a determinadas funções, por seu senhor, a serem realizadas de uma forma definida por ele a partir de seu próprio julgamento, a se esforçar para fazer essas coisas de forma honesta e justa, sem a menor ambição, e totalmente por causa de seu *daimyo*. Mas não menos importante são aqueles tão inclinados, que se aproximam de seus deveres para com a injustiça, que roubam de seu senhor através da troca de mercadorias, através da fraude; e esses atos difíceis de realizar livremente por si só contam com a complacência dos escribas e até mesmo seus próprios vassalos o roubam. Sem ter vergonha das críticas dos subordinados ou o desprezo falado de seus pares, tais homens constroem casas e reúnem mobiliário além de sua posição social, e fazem o que quiserem, empregando, naturalmente, um grande número de funcionários, passando pela vida de uma maneira que seus pares de seus próprios níveis não poderiam. Tais homens são ladrões de dez vezes a magnitude do ladrão furtivo mencionado anteriormente.

A razão é que esses chamados ladrões são homens que, tomando as coisas dos outros, o fazem em segredo profundo, e, além disso, a maioria leva as coisas como bolsas ou carteiras de pessoas que não os veem e são desconhecidas. Mas o guerreiro ladrão de um *han* acha que não é nada roubar as coisas do senhor de quem recebeu favores, e vive em um luxo muito além de sua posição social. Assim, é lógico que ele trata os seus iguais e companheiros como tolos sem olhos e sem orelhas, e no final ainda trata seu *daimyo* importante como um tolo. É exatamente por isso que se diz que ele é dez vezes tão culpado quanto os ladrões furtivos que vagueiam pelo mundo.

Agora é só esse tipo de pessoa sem escrúpulos que, porque ele é capaz de astúcia multitudinária, encontrar um homem de ganância profunda entre os principais vassalos e atendentes que agiram como assistentes talentosos, e de quem o senhor gosta. Este homem que ele suborna, e sem que ninguém perceba, secretamente entra em seu favor, tornando-o seu próprio defensor e protetor. Com essa autoridade completa ele faz seus próprios companheiros e colegas ficarem em silêncio nos locais onde as decisões formais são realizadas. Sob a asa de seu fiador, ele não hesita em ir a qualquer lugar, em qualquer situação ao expressar suas próprias opiniões, e, se ele se sente tão propenso que dá suas próprias ordens que são prejudiciais ao *han*. Embora seus iguais recentemente o tenham como arrogante e sem escrúpulos, consideram sua influência presente e temem seus partidários. Por fim, por causa de sua força, não há ninguém que vá sair e criticá-lo. Assim, acontece que, mais tarde, assume a posição de um homem de habilidade, os outros vão concordar com o que ele diz e, como esta situação se perpetua, aqueles que eram críticos e opositores permanecem apenas no nome. Desta forma, ele se iguala a administração do Estado.

Em conexão com isso, durante o shogunato Ashikaga, quando o governador de Taga e Bungo foi o administrador-chefe de Kyoto, ele pediu ao grande pintor, Tosa Shogen, para fazer um retrato dele. A imagem é para mostrá-lo quando era apenas um samurai comum com o nome de Shinzaemon no *han* Sasaki em Goshu, há muito tempo. Este retrato ele pendurou em um nicho em sua sala de estar, fitando-o dia e noite, como uma advertência para si mesmo.

Mesmo quando fala com os outros funcionários, ele diria que é essencial não esquecer o passado humilde agora que está em uma posição privilegiada.

Estas palavras são para a compreensão de guerreiros do baixo escalão.

MESMO QUE SEU SALÁRIO SEJA DIMINUÍDO NÃO SE DEVE RECLAMAR

Provavelmente haverá um momento em que o senhor a quem está servindo pode incorrer em uma grande despesa que cause problemas para a administração financeira do *han* e interrompe as operações normais. O *daimyo* pode querer emprestar uma certa quantia dos estipêndios ordinariamente concedidos aos vassalos do feudo por alguns anos. Independentemente de qual o valor, deve-se humildemente cumprir e nunca deixar até mesmo um toque de queixa escapar em suas conversas com esposa e filhos, muito menos na frente dos outros. Fazer o contrário não é a intenção básica de um samurai, e é algo a ser evitado a todo custo.

Isto porque, em ambas as vezes presente e passado, quando um senhor sofre adversidade, os vassalos juntam-se para passar por isso, e quando vassalos estão em perigo é através da força do senhor que eles são ajudados. Esta é a conduta esperada de um samurai do *han*. Além disso, quando as finanças do *daimyo* estão sobrecarregadas, o problema pode se espalhar para a vida pública, de modo que muitas atividades sejam paradas e ele suporte pacientemente as coisas, um estilo de vida bastante inesperado para uma pessoa de tal posição elevada. Esses vassalos que testemunham isso não podem deixar de sentir simpatia e comiseração pelo seu senhor.

Em tempos normais, tais circunstâncias não causam muito alarde. No entanto, quando ocorre algum evento, há uma perturbação inesperada, e o comando supremo faz um pedido para que as tropas devam ser reunidas e despachadas dentro de alguns dias para tal e tal lugar, a primeira coisa que é necessário para tal preparação é dinheiro.

Agora, mesmo se houver uma tentativa de levantar esse dinheiro, os habitantes da cidade, que contribuíram para fundos tantas vezes antes e foram tão incomodados, não vão mais dar o seu consentimento, não importa o que dizem as autoridades. Quando algum distúrbio ocorre, os agiotas e banqueiros estão longe de serem encontrados, e é como ter a mão presa entre duas rochas: *não se pode ir nem para frente nem para trás*.

Em meio a esse dilema, com todos os senhores provinciais em preparações, a data de partida é determinada e ao contrário de outras vezes não pode ser adiantada ou atrasada. Assim, as tropas do *daimyo* terão de avançar com os preparativos insuficientes. Soldados bem equipados em conjunto são um belo espetáculo, e em tempos de paz o movimento de tropas é um espetáculo raro, as pessoas vão alugar as casas nas cidades e aldeias, e preencher as montanhas e campos, tanto de todas as classes em conjunto para ver. Agora, se os homens e cavalos do próprio feudo parecem maltrapilhos em comparação com todas as outras tropas é a vergonha insuperável de toda uma vida para o *daimyo* ou general. Não se pode deixar de pensar que tais situações são verdadeiramente lamentáveis.

Ao pensar sobre esses fatos importantes, pode-se ver que é de extrema importância para um general considerar isto de antemão, e para ajustar suas finanças de uma forma que não cause problemas. O dinheiro deve estar disponível, não só para os homens, cavalos e seus respectivos equipamentos, mas para todas as situações. Assim, cada guerreiro que recebeu favores do senhor, independentemente de ser um novato ou um veterano, deve abrir mão de uma parte apropriada do soldo que todos os samurai recebem.

Portanto, enquanto o salário de um ano é diminuído, deve-se economizar bastante e seguir as diretrizes do senhor para manter menos homens e cavalos. Ele, sua esposa e filhos devem usar roupas de algodão e papel durante o inverno, de pano e de cânhamo durante o verão, de manhã e à noite, a família deve comer arroz marrom (genmai) e sopa de missô (missoshiru), e ele próprio, deve beber água e cortar lenha, e a sua esposa cozinhar. Eles devem suportar esta adversidade com toda a força que têm até as finanças de seu senhor melhorarem. Essa resolução é a maneira de ser de um samurai. Se por algum motivo alguém quisesse levar uma longa licença e se tornar um *ronin*, ele deve evitar esse pensamento enquanto as finanças do *han* estão em apuros, mas quando os salários adequados foram restaurados, pode-se pedir licença. Esta é a verdadeira justiça.

Além disso, durante esses tempos de dificuldade e subtração de salários anuais, dependendo do tempo, pode haver uma ocasião em que é necessário para alguns serviços uma nova subtração. Em tal momento, não se deve colocar a espada auxiliar e a caixa de costura de sua esposa no penhor. No momento de necessidade e reintegração solicitar um empréstimo, colocando um bem como o seguro é algo que não deve ser feito. A razão é que, mesmo que o senhor não ouça sobre isso, os líderes do grupo, os principais vassalos ou anciãos do feudo saberão, e não vão pensar bem da situação. Eles o verão como alguém que possui motivos secretos, enquanto as finanças do *han* são reduzidas, e que despreza o Senhor de uma maneira não condizente com um guerreiro. Desta forma, nunca será capaz de abrir a boca em público novamente. Na verdade, um guerreiro deve ser prudente e agir com reserva.

ACEITANDO SERVIÇOS DIFÍCEIS POSITIVAMENTE

Quando um guerreiro a serviço é ordenado pelo seu senhor, para alguns trabalhos importantes, como o envio de um homem, é uma questão de princípios que ele aceite o seu dever da forma esperada. Ele deve responder dizendo que se sente honrado por ter sido escolhido entre tantos vassalos para este trabalho, é a honra de uma vida, um presente divino para um guerreiro, e seu desejo mais sincero. Não ter essa atitude, no entanto, e aceitar de uma forma morna é a mais repreensível das conduta.

A razão para isso é que, embora em seu coração ele reúna coragem para ser determinado e fazer um trabalho admirável para o seu senhor, o sucesso ou o fracasso nas armas é uma questão de sorte. Um homem pode não atacar bem ou pode até ser ferido num revide de uma ocasião para a qual ele se considerava preparado. Em qualquer situação, a sua ação provavelmente será julgada posteriormente por todos os seus pares. Se tanto a aceitação e o serviço foram levados bem, o homem será elogiado por todos. Ele seria visto como um homem que cumpriu sua missão a partir do momento em que ele a aceitou. No caso em que o ataque não funcionou ou foi ferido, todos irão simpatizar com ele, dizendo que pelo jeito que ele aceitou o trabalho, ele não pareceu ser ineficiente, e perguntando o que deu errado.

No entanto, se o homem fosse aceitar o emprego de maneira vaga, mesmo que ele saísse vitorioso as pessoas diriam que era simplesmente uma questão de sorte, e ele não seria elogiado por ninguém. E se perdesse, seria criticado por todos como alguém que desde o momento da aceitação era duvidosa a vitória e que certamente houve desistência. Assim, deve-se aceitar as suas atribuições de forma viril, não importa o que seja.

Independentemente de quão insignificante o assunto pode ser, alguém verdadeiramente desejoso em ser um guerreiro focará toda atenção nisso. Por exemplo, se a assistência de um guerreiro é solicitada por alguém, ele vai considerar a viabilidade ou não do assunto muitas vezes antes, e se ele acha que é inviável, que é uma possibilidade. Mas, numa situação em que não se pode recusar ele aceita o encargo de uma forma extremamente viril, assim vai criar no solicitante um excesso de gratidão. Se ele aceitar, no que parece ser uma forma vaga e murmuriante, o que seria gratidão do solicitante vai murchar em seu coração de tal modo que se fosse possível não solicitaria esse homem para ajudar, mas por determinadas razões, foi necessário fazê-lo. A pessoa que solicita ajuda vai se arrepender do assunto como um lamentável estado de coisas. Desta forma, o guerreiro será responsabilizado tanto pela pobreza de espírito como pela falta de clareza da decisão, e, no final, dano provavelmente será adicionado à injúria. Isso deve ser bem pensado.

MESMO AS PALAVRAS IRRACIONAIS DO PRÓPRIO SENHOR NÃO DEVEM SER RETRUCADAS

É um princípio fundamental de um samurai ouvir com toda a humildade e inferioridade as palavras do senhor a quem ele está servindo, não importa o quão injusto ou censurador elas possam ser. Isto é essencial. Mesmo que o senhor deva dar um benefício da dúvida e a oportunidade de justificar-se, deve-se saber absolutamente que o fazê-lo enquanto estiver sob críticas do senhor é considerado o mesmo que retrucar, e é um crime impensável na etiqueta entre senhor e vassalo. No entanto, isso resulta em uma restrição do *Bushido*, e se houver circunstâncias especiais, no caso, é de natureza extrema solicitar ao chefe dos partidários, aos anciãos, ou aos administradores para intercederem em sua causa depois de a questão ter passado, de modo que não seja abandonado pelo Senhor por muito tempo.

Para a consideração de quem deseja ser guerreiro, podemos notar a história de um antigo samurai que cuja resposta ao seu senhor, nem perdeu sua posição, nem obscureceu as palavras de seu mestre.

Na era Keicho (1596-1615) entre os vassalos de Fukushima Masanori havia um samurai de grande força cujo nome era Tsukuda Mataemon. Uma noite, durante uma campanha houve um tumulto inesperado no meio do acampamento de Masanori e todo os samurais do feudo reunidos na sede. Na manhã seguinte, quando Masanori inquiriu Mataemon por ele ter vindo com uma lança embainhada no momento da perturbação da noite anterior, Mataemon ouviu e respondeu que as dúvidas do seu senhor eram certamente justificáveis. Ele respondeu que, como na noite anterior tinha sido tão nublado, ele tinha revestido a sua lança para protegê-la da chuva e tinha vindo dessa forma, e, assim, era natural que o senhor tenha visto as coisas daquela maneira. Masanori respondeu bem a este e o assunto terminou.

Mais tarde, companheiros de Mataemon disseram-lhe que todos tinham visto claramente que ele trouxera sua lança desembainhada conforme testemunhas. Quando eles declararam que absolutamente não conseguiam entender por que ele tinha respondido naquela manhã com a história da bainha de chuva, Mataemon voltou dizendo que todos sabiam que uma bainha de chuva era feita de uma só folha de papel de oleado parecida com uma lâmina nua. Isso, segundo ele, era uma questão irrelevante. Mas um erro de reconhecimento por parte de um grande general era uma coisa muito grave, portanto, ele tinha respondido daquela maneira. Quando todos os outros ouviram isso, eles ficaram impressionados com a extensão de sua consideração.

Os guerreiros que servem perto de seu senhor devem possuir esse tipo de entendimento.

O PRINCÍPIO DA EQUITAÇÃO

Quando um guerreiro em serviço está em uma jornada, se ele é de baixa patente, será necessário que ele monte um cavalo de carga. Sendo esse o caso, não importa se ele é de grau elevado ou baixo, deve-se montar firmemente com o entendimento de que as bainhas de suas espadas longas e curtas não devam escorregar, mesmo que ele fosse cair do cavalo. Deve amarrar fortemente o punho da sua espada com algo parecido com uma longa faixa, ou enrolar uma corda grossa ao redor do punho de sua lança vai fazer parecer como um homem de propósito superficial, mas isso não é tudo. As pessoas vão saber pelas insígnias e marcas no cavalo e pacotes que pertecem ao vassalo do senhor, e assim mesmo as tradições clã do mestre será criticado em outros lugares como sendo frívolo.

Além disso, de acordo com os costumes de viagem hoje em dia, os cavaleiros vão trocar de montaria. Se o outro cavaleiro é um samurai, é melhor descer do cavalo após ter verificado que o outro homem desmontou de acordo com a máxima do condutor do cavalo de carga. A razão para isso é que se desmonta deixando a iniciativa para que o condutor do cavalo de carga, pois o cavaleiro pode achar que o outro não quer desmontar e não haverá troca de cavalos, afinal. Assim, mesmo se um tiver problemas para desmontar, o outro terá que voltar no mesmo cavalo novamente. Deve-se usar alguma discrição nesta matéria.

Finalmente, quando se está a negócios ou oficiais ou privado, uma vez que, mesmo sendo um homem extremamente idoso, ainda terá que trabalhar a cavalo e segurando as rédeas ele mesmo. Nem se precisa dizer que seria desagradável para um jovem guerreiro ser levado em seu cavalo com um servo segurando de lado, enquanto ele fica sentado com as mãos nos bolsos.

QUANDO EM UMA VIAGEM OFICIAL, SEGURANÇA EM PRIMEIRO

Quando um guerreiro que serve um senhor receber uma ordem para ir como mensageiro oficial, e, por exemplo, viajar de Edo para Kamigata, ele deve contratar carregadores profissionais para atravessar um rio não só para os grandes rios, como o Oigawa, mas para qualquer curso de água, que tiver de atravessar. Seria um grande erro fazer a viagem em cavalos e cair no meio do caminho, danificando a bagagem ou ferindo um servo, tudo porque estava relutante em gastar um pouco de dinheiro, ou confiou em sua própria habilidade e tentou o cruzar o rio sem ajuda.

É, além disso, é extremament indiscreto tomar os barcos em Yokkaichi ou Awazu, alegando que as distâncias são mais curtas. A razão para isso é que, mesmo se estiver atrasado por causa do vento ou das ondas, se tivesse tomado a barca que foi estabelecida para o uso público em Kuwana ele teria uma desculpa. Mas se um encontra dificuldades quando se toma algum preparativo desnecessário, não haverá nada que possa dizer. Assim diz o antigo poema: *Embora o cruzamento na base possa ser curto, com pressa, guerreiro, pegue o caminho mais longo: A longa ponte em Seta.*

Este princípio não se aplica apenas às viagens, mas é um estado de espírito que um guerreiro deve ter em todas as suas ações. Isso também está dentro dos princípios e ensinamentos da tradição marcial.

QUANDO ACOMPANHAR SEU SENHOR

Quando um guerreiro está de plantão e acompanha o seu senhor em uma viagem, é essencial que ele tenha uma compreensão clara sobre o local de descanso naquela noite, em que direção o acampamento do senhor ficará virado, a largura da área, quais caminhos levam para ele fazer um reconhecimento geral do local antes de o sol se pôr. A razão é que, se o acampamento sofrer um repentino incêncio durante a noite e o mestre tiver que sair de repente e acontecer uma mudança na direção do vento, o samurai deve ser capaz de tirar vantagem e direcionar o senhor para a segurança. Além disso, quando o sol se pôr, deve-se conversar com a população local, fazendo a marcação das montanhas, florestas, templos e santuários que podiam ser vistos a partir da área; e deve-se perguntar sobre, e ter uma compreensão das direções leste e oeste. Isto também é feito com a intenção de ser capaz de responder rapidamente ao Senhor se algo acontecer durante a noite e ele pedir as direções.

Além disso, deve haver alguém a pé acompanhando o seu senhor, ele deve precedê-lo quando subir um morro e segui-lo ao descer. Embora isto pareça extremamente trivial, é uma das atitudes mentais tomadas por um guerreiro de plantão.

Devem-se tomar estas palavras como chaves e guardá-las em sua mente, e como ele é um samurai em serviço, deve sem negligência, esforçar-se noite e dia para ajudar o seu senhor, de alguma forma pelo menos uma vez. Esta é a intenção básica de um guerreiro.

OS CUIDADOS DIÁRIOS COM A ARMADURA

É inadequado para um guerreiro que serve, independentemente da classificação, não prestar atenção para as disposições da armadura e material adequado para o seu posto. Em particular, existem várias leis relativas a este assunto nos numerosos clãs. O senhor provincial determinou de antemão para todo o feudo os mesmos estandartes para cada grupo e os diferentes trajes, assim como os emblemas para os elmos, lanças, mangas, e bagagem. É razoável que se deve fazer rapidamente: arranjos para essas coisas e não ser negligente.

É difícil avaliar exatamente quando poderá ocorrer alguma perturbação, e se preparar de repente para tal coisa na hora que acontecer é provável que seja impossível. E, mesmo se fosse possível, a sua negligência diária seria revelada e ele receberia o desprezo dos outros. É uma velha lei dos clãs militares que aquele que é negligente sobre os emblemas de seu *han* será prejudicado quando combate entre seus companheiros, e, portanto, é uma questão importante.

Além disso, como o senhor vai ter uma profunda consciência de preparação militar, ele pode, em qualquer ordem de tempo de uma inspecção da armadura de samurai de todo o *han*, ou pode querer vê-lo por si mesmo. Em tal momento, não deve haver o mínimo de insuficiência com o equipamento dos servos ou outro material, muito menos com o equipamento pessoal dos seus companheiros de mesma posição. Se os emblemas são colocados para que o senhor veja bem, um homem será louvado não só pelo senhor, bem como pelos principais vassalos e anciãos do *han*.

Mas é diferente de outras falhas se existem insuficiências aqui e anomalias lá, e tem muito a ver com a pessoa não estar cumprindo os deveres de seu posto no Caminho do Guerreiro.

Assim, embora o senhor possa perdoar tal negligência e não dar bronca ou culpa, no momento, ele vai se lembrar dessas limitações deste homem e certamente irá pensar nele como alguém que rouba sua bolsa.

Mesmo quando ele não recebe nenhuma reprimenda de seu senhor, o homem que seria um guerreiro nunca é negligente sobre o equipamento militar adequado e os preparativos para o seu posto. Por exemplo, se entre os próprios servos, havia um homem descuidado que usou madeira e bambu para as lâminas de suas espadas longas e curtas, porque ele não tinha necessidade de matar ninguém, e que não usava nada, porque não havia nenhuma razão para arregaçar seu quimono, seria difícil ignorar uma coisa dessas, sabendo todos os fatos. Esta é, no entanto, uma questão de tais pessoas de status baixo como serventes e atendentes, e é difícil chamar isso de crime.

Se alguém tem a posição máxima de um guerreiro e aceita o estipêndio devido a tal posição, mas não tem noção do que o serviço militar é e o que não é, e, porque é tempo de paz, e falta com o cuidado do equipamento e material militar, ele é 100 vezes inferior na mentalidade certa para os servidores acima mencionados e atendentes. Quando o Senhor ouve uma coisa dessas, quais serão seus pensamentos de desprezo? Deve-se ter cuidado com isso e nunca ser negligente em sua atenção aos preparativos militares.

Em conexão com isso, se um guerreiro de baixa patente vai preparar recentemente sua armadura, há algumas coisas que deve ter em mente. Por exemplo, se ele planeja criar uma armadura para o preço de três peças de ouro, ele deve esperar para usar dois terços para o seu capacete e armadura. O restante deve ser usado para os vários tipos de roupas, faixas exteriores e interiores, a túnica e o casaco usados sobre a armadura, um chicote, o leque do comandante, e mesmo esses pequenos implementos detalhados como baldes de laca e similares de água e provisões. O equipamento para um guerreiro não deve ter absolutamente nada faltando, e se ela é de alta ou baixa qualidade, é essencial ter todo o arsenal equipado de uma vez.

A razão é que, embora as pessoas saibam que devem cuidar de uma armadura, e isso vai além dos meios de sua condição social em preparar, eles são negligentes na preparação de equipamentos de menor porte, deixando que as coisas vão por um longo tempo, e pensando como podem ser facilmente obtidas a qualquer momento.

Assim, há, por vezes, os guerreiros que passam suas vidas inteiras com suas armaduras de base, ainda são carentes de equipamentos de menor porte.

Portanto, deve-se manter os seus gostos na armadura simples e, ao mesmo tempo, estar preparado com o equipamento essencial menor.

Agora, mesmo quando se é jovem e forte, é essencial que seja prudente sobre ter uma armadura pesada de metal grosso, grandes estandartes para a parte de trás de sua armadura, ou grandes abas do capacete. A razão é que um guerreiro de baixo grau pode nem sempre estar mudando sua armadura, e a armadura que é apropriada para o jovem e forte não vai ser útil quando com os anos vindouros. Além disso, independentemente de quão jovem pode ser, quando na frente de batalha pode ficar doente ou ferido. Em tal momento, não importa quão leve sua armadura pode ser, ela vai pesar em seus ombros e tornar-se uma aflição. Por isso se diz que a armadura pesada é inútil.

Em seguida, sobre as armaduras, estandartes e elmo: se alguém usa estes cada vez que ele vai para a frente a partir do momento que é jovem, ele vai se tornar conhecido por eles e vai ser difícil simplesmente colocá-los fora quando se torna um guerreiro afamado, deve-se ter cuidado com isso.

Além disso, há uma coisa que é preciso ter em mente sobre a construção de sua armadura.

Quando alguém está falando de armadura, ele deve ter muito cuidado com as luvas e capacete, e o resto pode ser banal. Isto irá dar-lhe uma aparência melhor. Especialmente em relação ao capacete, é preferível que as coroas e cabos trançados sejam excelentes. O motivo é que no campo de batalha, a vitória e a derrota dependem do destino do tempo, e um pode ser cortado em batalha. Em tal momento, tanto o capacete, quanto a cabeça podem passar para as mãos do inimigo, e o capacete será passado para seus descendentes, junto com a história ligada a ele. Assim, há a consideração de que ele vai ser um capacete que vai deixar os elogios de seu valor militar para os olhos e ouvidos de muitas gerações posteriores.

CONTANDO COM SEUS SUBORDINADOS EM SITUAÇÕES DE COMBATE

Quando uma situação inesperada ocorre, um samurai de baixo escalão não é acompanhado ao campo por muitos subordinados, e, portanto, carrega consigo apenas uma lança. Caso se quebre a lâmina da lança, é certo que ela vai fazer falta. Por isso, ele deve prestar atenção para pensar sobre isso, e levar uma ponta de lança extra, que pode ser equipada com um eixo de bambu para o momento, para levar com ele em campo. Além disso, ele deve ter um número de espadas curtas e espadas longas, e dispô-las de maneira que estejam à mão. Estas ele pode distribuir aos seus servos quando eles o acompanharem em alguma ocasião de perturbação, também é importante que ele possa equipá-los com alguma armadura apropriada para as regiões do estômago e da cabeça.

A razão para isto é o seguinte. Como um guerreiro está consciente dos muitos anos de favores de seu senhor, e segue diligentemente suas próprias funções, ele nunca vai fugir, independentemente de quão perigoso seja a situação. Ele vai avançar em lugares difíceis de atacar, e vai proteger os locais difíceis de serem defendidos.

Os favores diários concedidos aos subordinados são escassos, e, naturalmente, eles estão pouco conscientes deles. É claro que eles não sabem nada sobre justiça, e por esta razão são subordinados.

Além disso, como eles são geralmente equipados apenas com a roupa apropriada para a estação do ano e uma espada curta enferrujada, quando encontram guerreiros mais bem equipados com armadura e lança no campo, é extremamente natural que eles não consigam tomar uma posição. No entanto, se apenas um em cada dez desses homens conseguir tomar uma posição em uma situação perigosa, nunca deixando o lado de seu mestre, ele não poderia ser chamado de subalterno. Este homem poderia ser dito ter uma espinha dorsal que supera a de um guerreiro. Portanto, fornecendo os jovens servos e lacaios com alguns equipamentos de luz adequada e espadas que realmente cortam os ossos do inimigo é dito ser a justiça e clarividência de um guerreiro de baixo escalão.

Além disso, um guerreiro de baixo escalão não terá um carregador de espadas especial para andar atrás dele no campo de batalha, e, é claro, não será capaz de levar uma espada extralonga com ele. Sendo esse o caso, ele certamente será pego desprevenido se sua espada quebrar ou a armadura ou capacete estiverem embotados, ele vai inevitavelmente cair gravemente ferido no meio da batalha com o adversário. Por isso, seu jovem servo deve usar a espada extralonga, e ter a espada do servo usada por subalternos como o carregador ou lacaio.

O tempo de batalha não é como tempos normais, e ninguém vai encontrar a falha com o fato de que subalternos estão carregando duas espadas em tal momento.

SER COMPLETO NA PRÁTICA DA DISCIPLINA DAS ARTES MARCIAIS

É essencial para homens que almejem ser samurais, mesmo que de baixo grau, selecionar um instrutor de assuntos militares respeitado, para receber instruções nas artes marciais, e o entendimento profundo e detalhado dos princípios secretos das estratégia militar. Embora seja considerado por algumas pessoas que o estudo de princípios militares não é adequado para um guerreiro de baixo grau, este é um grande mal-entendido causado pela falta de um exame mais minuncioso da questão. A razão é que, no passado e no presente, entre os homens que foram aclamados como líderes territoriais ou provinciais ou ganharam fama como grandes generais, não houve qualquer número que tenha surgiram do nada para realizar grandes feitos. Sendo assim, não poderiam ser samurais instantâneos, mas sim homens que galgaram promoções desde as fileiras de baixo e se tornaram generais.

Assim, é desejável que, mesmo a um guerreiro de baixo escalão seja dado o conhecimento e as virtudes de um do alto escalão. Se um homem vai ter um gosto de entrar nos estudos militares, ele irá desenvolver sabedoria e habilidade. Por esses meios, um homem que é inteligente desde o início se tornará cada vez mais. Haverá também um bom efeito para o homem que nasceu um pouco lento de raciocínio, pois, se apenas estudar as artes marciais por muitos anos ele não será tão lento depois de tudo. Sendo assim, não parece haver nada que supere as artes marciais nos estudos de um guerreiro.

No entanto, quando um homem deturpa ou pratica erradamente as artes marciais, ele será arrogante sobre a extensão de sua própria capacidade, olha para aqueles ao seu redor, fala nada mais que teorias irracionais e altissonantes, levando jovens inexperientes a se perderem e ferindo o espírito da corporação.

Embora tais pessoas digam palavras que pareçam justas e corretas sobre a superfície, seus sentimentos mais íntimos são em grande parte os avarentos, e suas reais intenções fundadas apenas em medir o que vai será ou não rentável para eles mesmos. Assim, a sua personalidade cresce gradualmente pior, e depois perdem todo o sentido do significado sobre ser um samurai. Este é um erro que vem acontecendo apenas na metade da disciplina e prática de estudos marciais. De qualquer forma, se é para estudar assuntos militares, é essencial que, em sua prática, ele não deve parar no meio do caminho, mas usar de todos os meios para ir tão longe quanto possível em um ponto ou outro dos princípios secretos das artes marciais, finalmente retornando ao sua antiga "*loucura*", onde ele terá a serenidade da mente. Seria extremamente lamentável, no entanto, para aqueles de nós que passamos nossos dias estudando, para ir apenas até a metade nas investigações militares, deixando os princípios mais profundos das artes marciais deslizar através do nosso alcance e tornando-se confuso em nosso próprio discernimento e, finalmente, levando não apenas a nós mesmos, mas até mesmo outros extraviados em uma sequência inevitável. O que foi dito aqui como "*retornar à loucura*" significa algo como um estado de espírito, quando este ainda não estudou o Caminho do Guerreiro. Geralmente, circulam frases como "rato cheira muito parecido com rato" e "um artista marcial que cheira muito das artes marciais" vem de tempos antigos e carregam o significado de "intolerável".

ENCONTRANDO UM ALVOROÇO AO ESCOLTAR SEU SENHOR

Desde os tempos de longo passado até os dias atuais, houve poucos casos de brigas ou discussões quando senhores provinciais se reúnem. Mas isso não significa que tal não irá acontecer no futuro, e o inesperado sempre pode ocorrer.

Em lugares como desembarques de balsa na travessia de rios durante a viagem, por exemplo, quando dois senhores se encontram, os vassalos dos dois grupos podem entrar em discussão, e conforme o número de homens aumenta, pode irromper uma luta. Sob tais circunstâncias, não é impossível dos senhores feudais acabarem se envolvendo também. E, se ambos os senhores não se envolverem, acaba por se tornar uma questão de consequência. Isto porque, quando senhores feudais discordam durante a viagem, não há uma terceira parte que possa lidar com o assunto, e vindo assim é difícil algum acordo.

Entendendo que os desastres movimentam-se de baixo para cima, é essencial estar consciente do fato de que, quando se acompanha o Senhor numa viagem, tudo deve ser manuseado com cuidado especial. Naturalmente, ele mesmo e todos os companheiros devem estar conscientes das coisas, e os atendentes da classe mais baixa devem ser bem instruídos a não fazer nada de irracional. Além disso, quando em Edo e acompanhando um senhor pelo bairro residencial samurai ou pelo meio da cidade, ao passar por um grupo de outro senhor, os jovens na vanguarda de ambos os grupos podem entrar em uma discussão que se transforma em uma luta. Nesse caso, deve-se avaliar rapidamente o assunto, tomar a lança do senhor da mão de seu escudeiro, e levá-lo para a proximidade do senhor. Avaliando a evolução da situação, se parecer que as coisas não terminarão pacificamente, e todos os samurais atendentes tiraram as suas espadas, deve-se levar o cavalo do senhor até o lado de seu palanquim, para que ele rapidamente monte, pegar a bainha de sua lança e entregá-la. E desembainhe a sua própria espada. Um guerreiro deve ser pronto para tudo isso.

Além disso, quando o senhor está presente em alguma função social e junto vai um samurai acompanhando, se algo inesperado ocorre dentro da residência e vê-se que alguma comoção está em desenvolvimento, ele deve tomar a espada na mão e se aproximar da entrada principal, identificar seu *han* e seu nome para o atendente e explicar que ele veio ao ouvir a comoção dentro e, assim, tornou-se preocupado com o seu senhor. O atendente deve explicar que nada ocorreu, mas que a preocupação é natural, e que, como o senhor está seguro, por favor, não se preocupe, mas tomamos a garantia de voltar para o senhor a seus atendentes. Deve expressar o seu apreço, mas ainda assim pedir que o senhor seja trazido para fora para encontrá-lo. Quando ele vir o seu senhor, com seus próprios olhos, ele pode se retirar.

ESTAR PRESENTE QUANDO SEU SENHOR ABATE UM ATENDENTE

Para um samurai servindo próximo ao seu senhor, quando um de seus companheiros se opõe ao senhor e comete um ato de grande insolência incorrendo em desagrado do senhor, se por acaso o homem deve ser abatido pelo senhor, o guerreiro no atendimento deve rapidamente segurar o homem no chão e dizer: "Ele está perto da morte, permita-me acabar com ele", e, logo após esfaqueá-lo até a morte. Se o homem recebeu apenas um ferimento e estava tentando fugir para o aposento ao lado, deve-se lidar com ele imediatamente, impedindo-o de sair. Se o lorde aproximar-se e disser: "solte-o, pois vou abatê-lo", deve-se responder: "Como eu poderia soltar tal criminoso? Abata-me com o homem." E se o senhor insiste na liberação do homem, deve-se dizer: "O golpe de sua espada o enfraqueceu muito. Permitam-me acabar com ele", e rapidamente esfaquear o homem até a morte.

Tem sido transmitida desde há muito tempo que um homem não é atingido por seu senhor duas vezes. No entanto, entre as pessoas com o status importante de proteger a província ou território, e de qualquer jeito um em um milhão reduziria um homem no primeiro golpe, e assim, esta informação não é para referência futura. Mas como a prática disciplinada do Caminho do Guerreiro, bem como o Caminho da Poesia, inclui tudo o que pegou ao longo do caminho, isto é para a compreensão daqueles que pretendem ser samurais.

É DESLEAL RECLAMAR SOBRE TRABALHO PERDIDO

Há momentos em que um samurai a serviço de seu senhor, após realizar algum excelente serviço, pode pensar que fez uma coisa admirável. Os membros de seu *han* e pessoas de outros clãs que conhecem bem as circunstâncias podem também ficar impressionados, e louvar o homem como tendo feito algum serviço de sinal. Seu senhor, no entanto, pode não ter essa opinião, ou, sendo impressionado em seu coração, pode, por causa de algum obstáculo externo, não dar uma recompensa especial. Assim, o evento pode acabar com muito esforço, mas pouco crédito. Nesse caso, o homem que sente que o senhor não tinha simpatia e começa a guardar rancor contra ele, estar insatisfeito em seu coração e passar cada dia em resmungos e fazendo seu trabalho com metade do coração, é um homem de pouca compreensão.

A razão para isto é o seguinte.

Durante o período da Guerra Civil, quando um guerreiro acompanhando o seu senhor, de frente para um encontro no campo de batalha, ele iria colidir com a lanceiros da vanguarda, ou em atacar um castelo que ele seria o primeiro por cima do muro. Se seus aliados estivessem em retirada, ele ocuparia a retaguarda. De qualquer forma, ele lutaria com a intenção de realizar atos inigualáveis por seus companheiros. Se o destino quis que sua morte nas mãos do inimigo fosse inevitável, ele foi totalmente resoluto que este era o dever de um guerreiro. Ao realizar inúmeras ações meritórias de valor marcial, não foi o suficiente para ele receber muitas cartas de recomendação ou de ser conhecido dentro de seu feudo e além. Em seu coração, sabendo que ele não estaria neste mundo para sempre, ele desejou que ele pudesse terminar a sua vida sendo de alguma utilidade para o seu senhor. Esta foi a justiça de guerreiro.

Quanto ao guerreiro nascido em tempos de paz, embora ele possa ter a profunda intenção de esgotar a sua lealdade para o seu senhor, na batalha, não há situações como as mencionadas, e ele não tem escolha, mas simplesmente viver, ele e seus companheiros de completar seu serviço dentro de casa, passando os anos, infelizmente, e recebendo a grande bondade de seu senhor até a morte.

No entanto, com este mesmo dever interior, se um homem está decidido a fazer obras extraordinariamente pendentes por causa do senhor e seu *han*, e de fato é capaz de fazê-lo, ele terá feito meritório serviço como um guerreiro em tempos de paz . No entanto, mesmo como um homem como este não pode dizer nada, quando confrontado com os guerreiros mencionados anteriormente que, inúmeras vezes durante a sua vida, saíram no campo de batalha, colocando suas vidas em risco pelo senhor e general, estendendo-se a muitos atos meritórios e de grande fama.

E por que isso? Porque o serviço em tempos de paz consiste apenas nos méritos de se locomover dentro de casa com toda a gente a esfregar as costas de suas mãos, e contestando em batalhas de eloquência. Não há nada de colocar a própria vida em risco. Assim, não importa o quão soberbo um homem pode pensar de seu próprio serviço, é escandaloso que estar atento se as recompensas do senhor são grandes ou pequenas, e resmungar e estar insatisfeito por conta disso.

Se você deve se perguntar por que isso é, é porque os guerreiros que saíram no campo de batalha, correndo sobre tão diligentemente na lealdade marcial para seus senhores, nunca levaram a menor preocupação ou cálculo sobre as recompensas que receberiam em uma data posterior.

Quando a pessoa está ciente disso, o papel do guerreiro que mantém um escritório e vive neste mundo será a de considerar apenas o que ele pode fazer para o bem do seu senhor, e de trabalhar diligentemente para ele.

Que seja até as circunstâncias do coração do senhor se ele vai elogiar seus atos meritórios ou não. Completar os seus assuntos com a resolução de fazer seus próprios deveres, sem reclamação ou insatisfação. Apenas isso é razoável.

O homem que, independentemente disso, se orgulha dos méritos de seu próprio trabalho e cobiça favores do Senhor tem uma disposição covarde e sem verdadeira intenção de um leal vassalo.

A RESPONSABILIDADE DO ACONSELHAMENTO ESTRATÉGICO É VITAL

O homem que queira ser um guerreiro se compromete profundamente no caminho marcial, estuda as artes da guerra e até mesmo mergulha nos segredos de estratégia e tática. Para um guerreiro, então, é provável que não exista nada acima da satisfação e honra quando ele, acima de todos os outros, recebe o comando do general e fica encarregado de assumir a responsabilidade de preparar a estratégia para uma campanha. Na verdade, é provável que não exista nenhuma obrigação tão importante como esta. A razão é que, em um nível menor, a vida de um de seus aliados, e em um nível maior, a própria existência do domínio são dependentes dessa estratégia. Portanto, como o louvor recai exclusivamente sobre si mesmo, ele pode ser considerado um incomparável façanha quando a estratégia é colocada em jogo e a batalha termina em vitória para o seu lado.

No entanto, seria difícil imaginar uma derrota maior do que quando o inimigo tem entendido a estratégia e toma a iniciativa, e as suas defesas são postas abaixo.

Assim, diz-se que esta obrigação é uma questão vital. Mas, e se essa derrota viesse a ocorrer? E se as duas primeiras vanguardas foram cortados ao meio, os comandantes e muitos homens foram perdidos, e o inimigo se aproveitou de sua vitória e empurrou em direção ao quartel general? As bandeiras e faixas na frente do banco do comandante começam a vacilar, e até mesmo a segurança do general cairia em questão. Em tal momento deve-se rapidamente desistir de seu comando sobre a batalha, amarrar seu capacete de forma que ele nunca vai se desatar novamente, demonstrar que nunca vai desmontar de seu cavalo, ir resoluto a nunca mostrar as costas para o inimigo, mesmo que suas tropas batam em retirada, e seja derrubado na batalha, enfrentando as lanças do inimigo com seu próprio corpo.

Desde os tempos de longo passado tal morte tem sido o padrão para um samurai que é o instrutor militar influente do *han*, especialmente quando ele considerou a batalha do dia, falou para o general e tornar-se seu principal conselheiro, e no final, errou o prognóstico. Yamamoto Kansuke, em uma das batalhas em Kawanakajima, foi fiel a este princípio e foi derrubado em batalha, tornando-se até o fim dos tempos um bom modelo para os guerreiros para acompanhar de instrutor militar de um dan. Esta é a tradição dos antigos, que declara quando o homem planeja uma batalha e ele falhar, ele deve morrer.

Mas o que dizer de um homem que, ao faltar a essa resolução, goza de grande reputação de sempre ser referido como um instrutor militar para seu *han*, e que, no momento de alguma perturbação, dá a sua opinião sobre a estratégia de batalha para o general, falando como se não existisse outra pessoa como ele. Quando a batalha começa, ele ignora as opiniões dos outros, usando artifícios de sua autoria que estão distantes da natureza das táticas, recomenda-as para o general e desfiguram seus comandos. Ele assim, causou a perda total de uma batalha que não deveria ter sido perdida, e samurais de alta e baixa patente foram derrubados em batalha.

E em meio a tudo isso, ele mesmo não morre, mas monta ao redor da confusão, vindo envergonhado antes do general, explicando que, embora ele tenha pensado bem sobre o assunto, mas a situação se mostrou diferente e acabou sendo aquele o resultado, e ele finalmente se desculpa por seus erros e os problemas que ele causou.

Tal não é o aspecto apropriado de um guerreiro que é chamado de um instrutor militar para seu *han*.

GRANDE LEALDADE QUE SUPERA JUNSHI

Anteriormente, o costume de junshi[14] floresceu em nossa terra, mas após a sua proibição em todo o país pelo *Bakufu*[15] na era Kanbun (1661-1663), sua prática cessou. Hoje em dia, é provável que existam muitos guerreiros de todos os clãs que, sentindo que eles têm recebido grandes favores de beneficência dos seus senhores e que não há nenhuma maneira de devolver esse carinho, gostariam de comprometer-se com o ato de junshi. No entanto, à luz do decreto do shogunato, tal ato seria provavelmente encarado como oficialmente refletindo a ausência de resolução do falecido senhor, e ter uma indicação de insolência do seu sucessor. Assim, acabaria sendo um ato de extrema deslealdade. No entanto, seria extremamente humilhante desperdiçar a vida inteira apenas trabalhando todos os dias em suas funções sem ao menos se empenhar em realizar o junshi. Desta forma, não é improvável que no fundo de seus corações, estejam determinados a fazer pelo

---

14. Junchi – muitas vezes traduzido como "suicídio através da fidelidade" – prática da era medieval japonesa que consistia dos vassalos cometerem "seppuku" pela morte de seu daimyo, principalmente quando o senhor feudal morria em batalha ou assassinado.

15. Bakufu –é o termo original em japonês de shogunato – regime de governo específico da história japonesa, houver três shogunatos: Kamakura (Kamakura Bakufu) de 1185 a 1333; Ashikaga (Ashikaga Bakufu) 1338 a 1573; e Tokugawa (Tokugawa Bakufu) 1603 a 1868.

menos um grande ato, mesmo que seus companheiros não queiram, abrindo mão de suas vidas para isso. Para ser verdadeira, tal determinação distingue o ato de junshi uma centena de vezes, e não será apenas para o beneficiar apenas um senhor, será para todos os seus vassalos, de todas as classes. Esta determinação combina perfeitamente com as três virtudes de lealdade, justiça e coragem, e deve ser um modelo para os samurais nesses tempos degenerados.

Um homem envolvido no serviço ao seu senhor deveria ter um único ponto de vista. Por isso deve ser em todas as casas de classe alta, há sempre um fantasma que tem assombrado o *han* por algum tempo.

Nove em cada dez desses fantasmas são os rancores que guerreiros de baixa patente guardam deles mesmos e como tal, não são uma maldição direta do próprio Senhor. As maldições são trazidas de duas maneiras.

A primeira é quando um jovem guerreiro vindo de uma casa nobre de anciãos e principais vassalos, nascido com as três qualidades de lealdade, justiça e coragem e com futuro assegurado de ser útil ao seu Senhor, e já recebendo o elogio de todos, inesperadamente falece de um ferimento inesperado, ou morre jovem de uma epidemia sazonal, deixando uma grande perda para o seu Senhor. Um exemplo disso é o caso do grande general de Takeda Shingen, Amari Saemon, que caiu do cavalo e morreu jovem. Este foi lamentado por *Kosaka Danjo*[16]—, o fantasma assombrou muito tempo a casa dos Takeda.

---

16. *Kosaka Danjo – ou Kosaka Massanobu, Danjo era um título dado pelo han a três samurais que se destacaram. General de Shingen Takeda, escreveu o Kôyô Gunkan (livro sobre a família Takeda e suas táticas militares)*

O segundo tipo é quando o fantasma entra no coração de um samurai que caiu nas boas graças de seu senhor e ressuscita no mundo. Ele, então, confunde a mente de seu senhor, levando-o a praticar atos injustos e cruéis. O fantasma que entrou no coração de um samurai que tem, assim, sido favorecido por seu senhor, muito acima dos outros vassalos do *han*, anciãos e servos, fará com que o seu senhor cometa vários tipos de atrocidades em geral seis tipos.

A primeira delas é quando ele habilmente obstrui os olhos e ouvidos de seu senhor, não permitindo que outros homens com as mesmas funções ou funções como a sua própria o abordem. Mesmo que os outros consigam falar com o senhor, o fantasma vai levá-lo para não colocar seus conselhos em prática. Assim, ele se torna o encarregado de todos os assuntos do *han*, grandes e pequenos, e faz com que o senhor fique relutante em fazer qualquer coisa sem ele.

O segundo é quando, por algum pretexto, ele vai mudar as funções de pessoas próximas ou naqueles que atendem ao senhor ou que parecem susceptíveis de serem úteis, empurrando-os para fora do grupo interno. Estes ele irá substituir como lhe aprouver, estritamente com os homens que têm alguma ligação anterior com ele, ou com aqueles que o lisonjem e fulvo com ele, ou com aqueles que nunca iriam discordar com o que ele diz. Esses homens que ele torna assistentes mais próximos, garantindo, assim, que o senhor não ouça nada além de autoindulgência e engrandecimento.

Em terceiro lugar, a fim de enfeitiçar a mente do senhor e fazer a sua própria relação com ele mais estreita, diz ao senhor que não há nada mais importante do que ter descendentes. Ele, então, reúne jovens sem levar em conta de quem são filhas, mas apenas por causa de sua beleza. Além disso, ele reúne koto e shamisen músicos com todos os tipos de dançarinas, dizendo que de vez em quando um homem precisa de diversão, seja ele de grau alto ou baixo. Nesse caso, não é apenas ao senhor que faltou bom senso, mas mesmo um senhor como tendo nascido inteligente e brilhante seria facilmente induzido cair em confusão nas questões de sexo, e logo perder o juízo. Encontrar tais alianças interessantes, não haveria final no assunto, e gradualmente se estenderia, e depois continuar noite e dia, sem intervalo.

Após a dança desenfreada viria a bebedeira inevitável, e como o senhor estaria constantemente no interior da mansão, os assuntos externos e domésticos e até mesmo coisas como a gestão do feudo se tornam completamente estranhos para ele, e nada mais iria atrair o seu interesse. Os outros vassalos principais e anciãos, mais tarde, seriam visitas desagradáveis para o senhor, e, sendo apenas o homem possesso a cuidar de tudo, a sua influência iria crescer diariamente, enquanto a existência dos outros teria pouca importância.

Assim, o orgulho deles seria ferido, e permaneceriam em silêncio, e os costumes do *han* seriam comprometidos em todos os aspectos.

Em quarto lugar, a situação começa a mudar, despesas feitas em segredo iriam crescer e logo não haveria maneira de financiar os dias que virão. Assim, novas leis gerais que vão contra os antigos modos de gestão do *han* estão começando. Agora os saqueadores se voltam para o dinheiro, e começa o desastre, o que deve ser entregue para assuntos domésticos não é entregue a todos. Sem a menor cerimônia em causar dor, sofrimento e confusão para todas as classes mais baixas, o senhor gasta tudo com os seus caprichos e extravagâncias. Embora nenhum de seus vassalos aprove os desastres trazidos sobre aqueles abaixo deles, eles não dizem nada, mas cada um tem a sua insatisfação em seu coração. Não há um deles que sinta um profundo senso de lealdade.

Quinto. É porque os ancestrais dos atuais senhores feudais lutaram com lealdade e esforço para o shogunato em um período anterior, que suas famílias têm sido capazes de continuar até hoje. E, embora não haja nenhuma razão para abandonar a prática das artes militares proferidas por seus ancestrais, só porque o presente é um tempo de paz, o vassalo dotado de quem estamos falando (não tendo nenhuma vontade de seguir o caminho marcial por si mesmo), argumentará contra o estudo das preparações marciais em função das festivas condições presentes. Assim, outros vassalos que desde o início não tinham gosto por essas coisas, não fariam nenhum esforço nas artes militares, ignorando o seu equipamento militar, e os costumes do *han* se degenerariam para simplesmente satisfazer as necessidades atuais. Isso seria muito constrangedor para uma linhagem familiar que teve entre seus antepassados homens conhecidos como grandes generais, pois se alguma perturbação ocorresse no momento só haveria uma grande confusão e tremor, e é duvidoso se alguma coisa poderia ser evitada.

Sexto. Desvio do senhor na folia, vinho e sexo, aumentando assim sua obstinação, que cresceria mais violenta, e, além disso sua saúde decairia. Todos os seus vassalos ficariam desanimados e cairiam numa rotina de desconfiança e mentiras. Isso não seria encarado bem tanto pelo público em geral ou pelo *Bakufu*, e, provavelmente no final, a posição do senhor não ficaria muito comprometida?

Assim, apesar de todos os vassalos do *han* concordarem que o indivíduo diabólico supramencionado é um monstro que levará o *han* para a ruína, e que ele é um inimigo do senhor, e todos têm por ele uma animosidade destrutiva, não há um deles que tome as dores de sair e eliminar o homem. Em vez disso, nove em cada dez não farão nada mais do que falar sobre o homem do males, trazendo o assunto para uma audiência pública sem sujar as próprias mãos. Lutando com a ponta dos seus lábios, eles não fazem nada mais do que discutir a melhor forma de trazer as suas intenções de conclusão. Desta forma, o caso não será resolvido em privado e os detalhes do problema chegarão aos parentes do senhor, tornando-se uma questão de todo *han*. Em um curso grave de eventos, será incapaz de evitar o julgamento do *Bakufu* no final.

Desde os tempos passados até o presente, nunca foi benéfica a posição de um senhor provincial de ter um caso de má gestão do feudo resolvida por punição do tribunal shogunato. Isto é como matar a vaca, a fim de endireitar seus chifres, ou queimar um santuário para se livrar dos ratos no altar. Seria desnecessário e muito lamentável um senhor perder sua posição, todos os seus vassalos desde os mais alto aos mais baixos ficarem sem mestre, e destruir um importante *han* com uma história de muitas gerações apenas por causa de um fantasma que o assombrara por tanto tempo.

Esta é apenas uma situação para o guerreiro que sente profundamente os favores recebidos de seu senhor, que desejou retribuir esses favores, cometendo *junshi*, não fosse a inútil proibição do *Bakufu*.

Este é o ponto de vista a partir do qual ele poderia jogar fora sua vida no cumprimento do dever.

Agora, se ele agarrasse o homem mau acima mencionado e terminasse o assunto abrindo-lhe as entranhas e cortando-as, e então rapidamente cometesse *seppuku*, o caso terminaria com ele parecendo ter perdido o juízo. Assim, não haveria problemas ou audiências públicas, no momento, a posição do senhor não estaria ameaçada, os vassalos todos se sentiriam à vontade, e o domínio estaria em paz. Este seria um ato cem vezes maior do que *junshi*, combinaria as três virtudes de lealdade, justiça e coragem, e seria um modelo de grande lealdade para com os guerreiros deste século corrupto.

Se houvesse apenas um guerreiro profundamente resoluto ao lado de cada senhor feudal, pensativo apenas de colocar sua vida em risco por seu mestre e ser sua salvaguarda, ele seria o mesmo que na vida que *Chung K'uei*[17]. Assim, os homens maus e traiçoeiros com as mentes de demônios e espíritos malignos hesitariam em agir, e, por amor do mestre, atos perversos e injustos deixariam de ser feitos.

---

17. Chung K'uei – ou "Grande Perseguidor Espiritual dos Demônios para o império inteiro". Figura do folclore chinês que é um espírito protetor dos imperadores contra espíritos maléficos.

Isso deve ser pensado com muito cuidado. Estas palavras são da consideração de quem foi samurai. Penso que mesmo os meus tolos escritos podem ser de alguma serventia. Considere isto uma lembrança do pai que ama seus filhos.

Páginas: 160
Família Tipografia: Electra LT Std